Astrid Lindgren

Karlsson vom Dach

Deutsch von Thyra Dohrenburg
Zeichnungen von Ilon Wikland

Verlag Friedrich Oetinger · Hamburg

Die drei Karlsson-Bücher heißen:

Karlsson vom Dach
Karlsson fliegt wieder
Der beste Karlsson der Welt

© Verlag Friedrich Oetinger, Hamburg 1994
Alle Rechte für die deutschsprachige Ausgabe vorbehalten
© Astrid Lindgren, Stockholm 1955
Die schwedische Originalausgabe erschien bei
Rabén & Sjögren Bokförlag, Stockholm,
unter dem Titel »Lillebror och Karlsson på taket«
In deutscher Übersetzung erstmalig erschienen 1956
im Verlag Friedrich Oetinger, Hamburg
Deutsch von Thyra Dohrenburg
Einband und Illustrationen von Ilon Wikland
Satz: Utesch GmbH, Hamburg
Druck und Bindung: Graphischer Großbetrieb Pößneck
Printed in Germany 2000

ISBN 3-7891-4111-9

Inhalt

*Lillebror ist das schwedische Wort
für Brüderchen*

Karlsson vom Dach

In Stockholm, in einer ganz gewöhnlichen Straße, in einem ganz gewöhnlichen Haus, wohnt eine ganz gewöhnliche Familie und die heißt Svantesson. Dazu gehören ein ganz gewöhnlicher Papa und eine ganz gewöhnliche Mama und drei ganz gewöhnliche Kinder, Birger, Betty und Lillebror.

»Ich bin überhaupt kein gewöhnlicher Lillebror«, sagt Lillebror.

Aber das stimmt nicht. Er ist wirklich ein ganz gewöhnlicher Junge. Es gibt so viele Jungen, die sieben Jahre alt sind und blaue Augen haben und eine Stupsnase und ungewaschene Ohren und Hosen, die über den Knien ständig kaputt sind. Lillebror ist also ein ganz und gar gewöhnlicher Junge, das steht fest.

Birger ist fünfzehn Jahre alt und spielt Fußball und kommt in der Schule schlecht mit. Er ist also auch ein ganz gewöhnlicher Junge. Und Betty ist vierzehn und trägt ihr Haar in einem Pferdeschwanz, genau wie andere ganz gewöhnliche Mädchen.

Es gibt nur einen im ganzen Haus, der ungewöhnlich ist, und das ist Karlsson vom Dach. Er wohnt oben auf dem Dach, der Karlsson, und schon das ist ja etwas recht Außergewöhnliches. Es mag in anderen Gegenden der Welt anders sein, aber in Stockholm kommt es fast nie vor, dass jemand in einem besonderen kleinen Haus oben auf dem Dach wohnt. Das aber tut Karlsson.

Er ist ein sehr kleiner und sehr rundlicher und sehr selbstbewusster Herr und er kann fliegen. Mit Flugzeugen und Hubschraubern können alle Menschen fliegen, aber es gibt niemand, der ganz allein fliegen kann, außer Karlsson. Er dreht bloß an einem Knopf, der ungefähr mitten vor seinem Nabel sitzt, und wips springt ein winzig kleiner Motor an, den er auf dem Rücken hat. Während der Motor anläuft, steht Karlsson eine Weile still. Und dann – wenn der Motor genügend auf Touren gekommen ist – steigt Karlsson auf und schwebt so fein und würdevoll davon wie ein Bürovorsteher – falls man sich einen Bürovorsteher mit Motor auf dem Rücken vorstellen kann.

Karlsson fühlt sich in seinem kleinen Haus oben auf dem Dach riesig wohl. Abends sitzt er auf der Treppe vorm Haus und raucht seine Pfeife und guckt die Sterne an. Natürlich kann man die Sterne vom Dach aus viel besser sehen als von irgendeiner anderen Stelle im Haus. Es ist also eigentlich sonderbar, dass nicht mehr Menschen auf Dächern wohnen. Aber die Mieter im Haus wissen nichts davon, dass man auf einem Dach wohnen kann, sie wissen nicht einmal, dass Karlsson seine kleine Hütte dort oben hat, weil sie nämlich so gut hinter dem großen Schornstein versteckt ist, und die meisten Menschen bemerken solche kleinen Häuser wie das von Karlsson übrigens gar nicht, selbst wenn sie darüber stolpern.

8

Nur einmal sah ein Schornsteinfeger, als er gerade den
Schornstein fegen wollte, Karlssons Haus und er war wirklich ziemlich verblüfft.

Sonderbar, sagte er zu sich selbst, hier steht ein Haus. Man
sollte es nicht glauben, aber hier steht tatsächlich ein Haus
oben auf dem Dach. Wie mag das nur hierher gekommen
sein?

Aber dann machte er sich daran, den Schornstein zu fegen,

und vergaß das Haus ganz und gar und dachte nie mehr daran.

Für Lillebror war es bestimmt eine Freude, Karlsson kennen zu lernen, denn wo Karlsson angeflogen kam, wurde alles so abenteuerlich und aufregend. Für Karlsson war es vielleicht auch eine Freude, dass er Lillebror kennen lernte, denn wie es auch sei, so lustig ist es doch wohl kaum, ganz allein in einem Haus zu wohnen, ohne dass jemand eine Ahnung davon hat. Man freut sich bestimmt, wenn jemand »Heißa hopsa, Karlsson« ruft, sobald man angeflogen kommt.

So ging es zu, als Karlsson und Lillebror sich kennen lernten:

Es war einer jener verdrehten Tage, wo es kein bisschen Spaß machte, Lillebror zu sein. Im Allgemeinen war es ganz schön, Lillebror zu sein, denn er war Liebling und Hätschelkind der ganzen Familie, den alle verwöhnten, sosehr sie konnten. Aber es gab Tage, da war alles verdreht. Da gab es Schelte von Mama, weil neue Löcher in die Hosen gekommen waren, und Betty sagte: »Putz dir die Nase, Bengel« und Papa machte ein Theater, weil man nicht rechtzeitig von der Schule heimkam.

»Was hast du dich auf der Straße herumzutreiben?«, fragte Papa.

Auf der Straße herumtreiben – Papa wusste ja nicht, dass Lillebror einem Hund begegnet war. Einem netten, wunderhübschen Hund, der Lillebror beschnuppert und mit dem Schwanz gewedelt und so ausgesehen hatte, als wollte er gern Lillebrors Hund werden.

Wäre es nach Lillebror gegangen, dann hätte er es sofort werden können. Aber nun war es so, dass Papa und Mama auf keinen Fall einen Hund im Haus haben wollten. Und außerdem kam da plötzlich eine Dame an und die rief: »Ricki, komm her« und da sah Lillebror ein, dass dieser Hund niemals ihm gehören konnte.

»Sieht nicht so aus, als ob man je in seinem Leben einen eigenen Hund bekäme«, sagte Lillebror erbost an diesem Tag, als alles so schief ging. »Du, Mama, du hast Papa, und Birger und Betty halten immer zusammen, aber ich habe niemand.«

»Liebster Lillebror, du hast doch uns alle miteinander«, sagte Mama.

»Das hab ich doch überhaupt nicht«, sagte Lillebror noch erboster, denn ihm kam es plötzlich so vor, als habe er niemand auf der ganzen Welt.

Eins hatte er jedenfalls. Er hatte sein eigenes Zimmer und in das ging er.

Es war ein heller, schöner Frühlingsabend und das Fenster stand offen. Die weißen Gardinen wehten sacht hin und her, als ob sie den kleinen blassen Sternen dort oben am Frühlingshimmel zuwinkten. Lillebror stellte sich ans Fenster und guckte hinaus. Er dachte an den netten Hund und malte sich aus, was der wohl jetzt machte. Vielleicht lag er in einem Hundekorb irgendwo in einer Küche, vielleicht saß ein Junge – nicht Lillebror, sondern ein anderer Junge – auf dem Fußboden neben ihm und streichelte seinen struppigen Kopf und sagte: »Ricki, du bist ein feiner Hund.«

Lillebror seufzte tief. Da hörte er ein leises Brummen. Das

Brummen wurde lauter und ehe er sich's versah, kam ein kleiner, dicker Mann langsam am Fenster vorbeigeflogen. Das war Karlsson vom Dach, aber das wusste Lillebror ja noch nicht.

Karlsson warf nur einen langen Blick auf Lillebror und dann segelte er weiter. Er machte eine kleine Runde über dem Hausdach gegenüber, umflog einmal den Schornstein und steuerte dann wieder auf Lillebrors Fenster zu. Jetzt hatte er die Geschwindigkeit erhöht und zischte an Lillebror vorbei fast wie ein kleiner Düsenjäger. Mehrmals zischte er vorbei und Lillebror stand nur stumm da und wartete und fühlte, wie es ihm im Magen kribbelte vor Aufregung, denn es kommt ja nicht alle Tage vor, dass kleine, dicke Männer am Fenster vorbeifliegen. Schließlich verlangsamte Karlsson dicht vorm Fenster die Fahrt.

»Heißa hopsa«, sagte er. »Darf man sich hier ein bisschen niederlassen?«

»Ja, bitte sehr«, sagte Lillebror. »Ist es nicht schwer so zu fliegen?«, sagte er dann.

»Für mich nicht«, sagte Karlsson und warf sich in die Brust. »Für mich ist es überhaupt nicht schwer. Ich bin nämlich der beste Kunstflieger der Welt. Ich möchte aber nicht jedem x-beliebigen Strohkopf raten, es nachzumachen.«

Lillebror fühlte, dass er selbst »jeder x-beliebige Strohkopf« sei, und beschloss sofort Karlssons Flugkünste bestimmt nicht nachzumachen.

»Wie heißt du?«, fragte Karlsson.

»Lillebror«, sagte Lillebror. »Aber eigentlich heiße ich Svante Svantesson.«

»Denk bloß, wie verschieden das sein kann – ich, ich heiße Karlsson«, sagte Karlsson. »Nur einfach Karlsson und weiter nichts. Heißa hopsa, Lillebror.«

»Heißa hopsa, Karlsson«, sagte Lillebror.

»Wie alt bist du?«, fragte Karlsson.

»Sieben«, sagte Lillebror.

»Gut. Mach so weiter«, sagte Karlsson.

Er stellte schnell eins seiner kurzen dicken Beine auf Lillebrors Fenstersims und kletterte ins Zimmer hinein.

»Wie alt bist du denn?«, fragte Lillebror, denn er fand, Karlsson sei eigentlich zu kindisch, um ein Mann zu sein.

»Wie alt *ich* bin?«, sagte Karlsson. »Ich bin ein Mann in meinen besten Jahren. Das ist das Einzige, was ich sagen kann.«

Lillebror wusste nicht so recht, was das heißen sollte – ein Mann in seinen besten Jahren zu sein. Er überlegte, ob er nicht am Ende selbst auch ein Mann in seinen besten Jahren war, ohne dass er es wusste, und fragte vorsichtig:

»Welche Jahre sind denn die besten?«

»Alle«, sagte Karlsson vergnügt. »Jedenfalls was mich betrifft. Ich bin ein schöner und grundgescheiter und gerade richtig dicker Mann in meinen besten Jahren.«

Dann zog er Lillebrors Dampfmaschine hervor, die auf dem Bücherbord stand. »Wollen wir die laufen lassen?«, schlug er vor.

»Das darf ich nicht, Papa will es nicht haben«, sagte Lillebror. »Papa oder Birger müssen immer dabei sein, wenn ich sie laufen lasse.«

»Papa oder Birger oder Karlsson vom Dach«, sagte Karlsson. »Der beste Dampfmaschinenaufpasser der Welt, das ist Karlsson vom Dach. Bestell das deinem Papa.«

Er griff rasch nach der Flasche mit Brennspiritus, die neben der Dampfmaschine stand, goss den kleinen Spiritusbehälter voll und zündete den Brenner an. Obwohl er der beste Dampfmaschinenaufpasser der Welt war, stellte er sich so ungeschickt an, dass er einen kleinen See von dem Spiritus auf das Bücherbord verschüttete, und muntere blaue Flämmchen tanzten um die Dampfmaschine herum, als dieser See Feuer fing. Lillebror schrie auf und stürzte herbei.

»Ruhig, ganz ruhig«, sagte Karlsson und streckte abwehrend eine kleine, dicke Hand aus.

Aber Lillebror konnte nicht ruhig sein, als er sah, wie es brannte. Er holte einen alten Lappen und erstickte die kleinen, munteren Flämmchen. Wo sie getanzt hatten, blieben jetzt große hässliche Flecke auf der Politur des Bücherbords zurück.

»Guck mal, wie das Bücherbord aussieht«, sagte Lillebror bekümmert. »Was wird Mama sagen?«

»Ach was, das stört keinen großen Geist«, sagte Karlsson vom Dach. »Ein paar unbedeutende Flecke auf einem Bücherbord – das stört keinen großen Geist. Bestell das deiner Mama.«

Er kniete sich neben die Dampfmaschine hin und seine Augen glänzten.

»Jetzt ist sie bald ordentlich im Gange«, sagte er.

Und das war sie. Es dauerte nicht lange, da begann die Dampfmaschine zu arbeiten. Pfutt-pfutt-pfutt machte sie.

Oh, es war die prächtigste Dampfmaschine, die man sich vorstellen konnte, und Karlsson sah so stolz und glücklich aus, als ob er sie selbst gemacht hätte.

»Ich muss das Sicherheitsventil kontrollieren«, sagte Karlsson und drehte eifrig an einem kleinen Ding. »Es gibt immer ein Unglück, wenn man nicht das Sicherheitsventil kontrolliert.«

Pfutt-pfutt-pfutt machte die Dampfmaschine. Es ging schneller und schneller, pfutt-pfutt-pfutt. Schließlich hörte es sich an, als ob sie galoppierte, und Karlssons Augen funkelten. Lillebror kümmerte sich nicht mehr um die Flecke auf dem Bücherbord. Er freute sich mächtig über seine Dampfmaschine und über Karlsson, den besten

Dampfmaschinenaufpasser der Welt, der das Sicherheitsventil so gut kontrolliert hatte.

»Ja, ja, Lillebror«, sagte Karlsson, »dieses Pfutt-pfutt-pfutt ist nicht ganz ohne. Der beste Dampfmaschinenaufpasser der We…«

Weiter kam er nicht, denn in diesem Augenblick hörte man einen fürchterlichen Knall – und es gab keine Dampfmaschine mehr, sondern nur noch Teile einer Dampfmaschine, über das ganze Zimmer verstreut.

»Die ist explodiert«, sagte Karlsson begeistert, fast so, als sei es das größte Kunststück, das man von einer Dampfmaschine erwarten kann. »Tatsächlich, sie ist explodiert. Was für ein Knall!«

Aber Lillebror konnte sich nicht so richtig freuen. Ihm traten die Tränen in die Augen.

»Meine Dampfmaschine«, sagte er. »Sie ist kaputt.«

»Stört keinen großen Geist«, sagte Karlsson und wedelte unbekümmert mit seiner kleinen dicken Hand. »Du kannst bald eine neue Dampfmaschine kriegen.«

»Woher denn?«, fragte Lillebror verwundert.

»Ich hab oben bei mir mehrere tausend.«

»Wo oben bei dir?«, fragte Lillebror.

»Oben bei mir in meinem Haus auf dem Dach«, sagte Karlsson.

»Du hast ein Haus auf dem Dach?«, fragte Lillebror. »Mit mehreren tausend Dampfmaschinen drin?«

»Ja. Jedenfalls sind es mindestens ein paar hundert«, sagte Karlsson.

»Oh, dieses Haus möchte ich gern mal sehen«, sagte Lillebror. Es klang so wunderbar, dass oben auf dem Dach ein kleines Haus stehen sollte und dass Karlsson dort wohnte. »Ein ganzes Haus voller Dampfmaschinen!«, sagte Lillebror. »Mehrere hundert Dampfmaschinen!«

»Na ja, ich hab nicht so genau nachgezählt, wie viele noch übrig sind, aber einige Dutzend sind es bestimmt«, sagte Karlsson. »Von Zeit zu Zeit explodiert ja mal eine, aber 'n paar Dutzend werden doch immer übrig sein.«

»Dann könnte ich vielleicht eine kriegen?«, sagte Lillebror.

»Klar«, sagte Karlsson.

»Jetzt gleich?«, fragte Lillebror.

»Hm-ja, ich muss sie erst mal ein bisschen nachsehen«, sagte Karlsson. »Das Sicherheitsventil kontrollieren und so was. Ruhig, ganz ruhig, du kriegst sie ein andermal!«

Lillebror fing an die Teile aufzusammeln, die vorher seine Dampfmaschine gewesen waren.

»Ich möchte wissen, was Papa sagt«, murmelte er besorgt.

Karlsson zog verwundert die Brauen hoch.

»Wegen der Dampfmaschine?«, sagte er. »Das stört keinen großen Geist. Deswegen braucht er sich durchaus nicht zu beunruhigen. Bestell ihm das von mir. Ich würde es ihm selbst sagen, wenn ich Zeit hätte und so lange bleiben könnte, bis er kommt. Aber ich muss jetzt rauf und nach meinem Haus sehen.«

»Es war nett, dass du gekommen bist«, sagte Lillebror, »wenn auch die Dampfmaschine… Kommst du mal wieder?«

»Ruhig, ganz ruhig«, sagte Karlsson und drehte an dem Knopf, der ungefähr mitten vor seinem Nabel saß. Der Motor fing an zu husten und Karlsson stand still und wartete auf die Startgeschwindigkeit. Dann stieg er auf und flog ein paar Runden durchs Zimmer.

»Der Motor stottert«, sagte er. »Ich muss wohl damit in die Werkstatt und ihn mal abschmieren lassen. Natürlich könnte ich es selbst machen, denn ich bin der beste Motorpfleger der Welt, aber ich hab keine Zeit – nein, ich glaube, ich liefere mich in eine Werkstatt ein.«

Lillebror meinte auch, es sei das Klügste.

Karlsson steuerte durch das offene Fenster nach draußen und sein kleiner rundlicher Körper hob sich klar von dem bestirnten Frühlingshimmel ab.

»Heißa hopsa, Lillebror«, sagte er und winkte mit seiner kleinen, dicken Hand.

Und dann war Karlsson weg.

Karlsson baut einen Turm

Ich hab ja *gesagt*, dass er Karlsson heißt und oben auf dem Dach wohnt«, sagte Lillebror.»Was ist denn da Komisches dran? Die Leute dürfen doch wohl wohnen, wo sie wollen!«

»Lillebror, sei jetzt nicht dumm«, sagte Mama.»Du hast uns fast zu Tode erschreckt. Du hättest dir sehr wehtun können, als die Dampfmaschine explodierte. Begreifst du das nicht?«

»Ja, aber Karlsson ist ganz bestimmt der beste Dampfmaschinenaufpasser der Welt«, sagte Lillebror und sah seine Mama ernst an.

Sie musste doch verstehen, dass man nicht nein sagen konnte, wenn der beste Dampfmaschinenaufpasser der Welt sich erbot die Dampfmaschine in Gang zu bringen.

»Man muss für das, was man getan hat, einstehen, Lillebror«, sagte Papa,»und es nicht jemandem in die Schuhe schieben, der Karlsson vom Dach heißt und den es nicht gibt.«

»Wohl gibt's den«, sagte Lillebror.

»Und fliegen kann er auch«, sagte Birger höhnisch.

»Ja, denk mal, das kann er«, sagte Lillebror.»Hoffentlich kommt er wieder. Dann kannst du es selber sehen.«

»Wenn er doch bloß morgen käme«, sagte Betty.»Du kriegst

eine Krone* von mir, Lillebror, falls ich Karlsson vom Dach sehen kann.«

»Morgen kommt er wahrscheinlich nicht«, sagte Lillebror, »denn er wollte in die Werkstatt und sich abschmieren lassen.«

»Ach, du scheinst mir wahrhaftig auch eine gründliche Abschmierung nötig zu haben«, sagte Mama. »Schau, wie das Bücherbord aussieht!«

»Das stört keinen großen Geist, sagt Karlsson!«

Lillebror wedelte überlegen mit der Hand, genau so, wie Karlsson es getan hatte, damit Mama begriff, dass die Sache mit dem Bücherbord wirklich nicht so schlimm war und man sich deswegen nicht so aufzuregen brauchte. Aber das verfing nicht bei Mama.

»Aha, das sagt Karlsson«, sagte sie. »Bestell Karlsson, dass er seine Nase nicht noch einmal hier hereinstecken soll, sonst werde *ich* ihn abschmieren, dass er es nie vergisst.«

Lillebror gab keine Antwort. Er fand es schrecklich, dass Mama so von dem besten Dampfmaschinenaufpasser der Welt sprach. Aber etwas anderes war ja nicht zu erwarten an so einem Tag, an dem sich alle miteinander offenbar entschlossen hatten, verdreht zu sein.

Lillebror hatte plötzlich Sehnsucht nach Karlsson. Karlsson, der munter und fröhlich war und mit der Hand wedelte und sagte, ein Unglück, das störe keinen großen Geist, um das brauche man sich nicht zu kümmern. Richtig große Sehnsucht hatte Lillebror nach Karlsson. Und gleichzeitig

* schwedisches Geld; 1 Krone = 100 Öre

fühlte er sich etwas beunruhigt. Wenn Karlsson nun nie mehr wiederkam?

»Ruhig, ganz ruhig«, sagte Lillebror zu sich selbst, genau so, wie Karlsson gesagt hatte. Karlsson hatte es ja versprochen. Und Karlsson war ein Mann, auf den man sich verlassen konnte, das war zu merken. Es dauerte nur ein paar Tage, da tauchte er wieder auf.

Lillebror lag in seinem Zimmer auf dem Fußboden und las, als er das Brummen wieder hörte, und da kam Karlsson durch das Fenster hereingebrummt wie eine riesengroße Hummel. Er summte eine fröhliche kleine Weise, während er an den Wänden entlang im Zimmer herumflog. Hin und wieder hielt er inne, um sich die Bilder anzusehen. Er legte den Kopf schief und kniff die Augen zusammen.

»Schöne Bilder«, sagte er. »Furchtbar schöne Bilder! Wenn vielleicht auch nicht ganz so schön wie meine.«

Lillebror war aufgesprungen und stand nun da, wild vor Eifer. Er freute sich so, dass Karlsson wiedergekommen war.

»Hast du viele Bilder oben bei dir?«, fragte er.

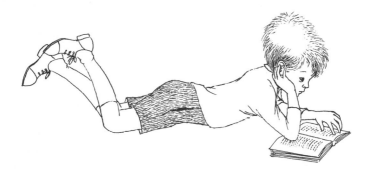

»Mehrere tausend«, sagte Karlsson. »Male sie selbst in meiner freien Zeit; lauter kleine Hähne und Vögel und andere
schöne Sachen. Ich bin der beste Hähnemaler der Welt«,
sagte Karlsson und landete mit einem eleganten Schwung
neben Lillebror.

»Denk bloß mal an«, sagte Lillebror. »Übrigens – kann ich
nicht mit raufkommen und dein Haus und deine Dampfmaschinen und deine Bilder ansehen?«

»Natürlich«, sagte Karlsson. »Selbstverständlich! Du bist
herzlich willkommen. Ein andermal.«

»Bald«, bat Lillebror.

»Ruhig, ganz ruhig«, sagte Karlsson. »Ich muss erst ein bisschen aufräumen, aber das dauert nicht lange. Der beste

Schnellaufräumer der Welt, rat mal, wer das ist«, fragte Karlsson schalkhaft.

»Du vielleicht?«, sagte Lillebror.

»Vielleicht«, schrie Karlsson, »vielleicht? Daran brauchst du keine Minute zu zweifeln! Der beste Schnellaufräumer der Welt, das ist Karlsson vom Dach. Das weiß doch jeder.«

Und Lillebror glaubte gern, dass Karlsson »der Beste der Welt« in allem war. Sicherlich war er auch der beste Spielkamerad der Welt, das Gefühl hatte er. Krister und Gunilla waren zwar nett, aber sie waren nicht so aufregend wie Karlsson vom Dach. Lillebror beschloss Krister und Gunilla von Karlsson zu erzählen, wenn sie das nächste Mal von der Schule zusammen nach Hause gingen. Krister redete immer so viel von seinem Hund, der Joffa hieß. Lillebror war schon lange neidisch auf Krister wegen dieses Hundes.

Aber wenn er morgen mit seinem alten Joffa anfängt, dann erzähle ich ihm von Karlsson, dachte Lillebror. Was ist Joffa gegen Karlsson vom Dach, werde ich sagen.

Und dennoch gab es nichts auf der Welt, wonach Lillebror sich so sehr sehnte wie gerade nach einem eigenen Hund.

Karlsson unterbrach seine Grübeleien.

»Ich fühle mich zu einem Spaß aufgelegt«, sagte er und sah sich neugierig um. »Hast du nicht noch eine Dampfmaschine?«

Lillebror schüttelte den Kopf. Die Dampfmaschine! Jetzt hatte er Karlsson ja hier, jetzt konnten Mama und Papa sehen, dass es Karlsson gab. Und Birger und Betty auch, falls sie zu Hause waren.

»Willst du mitkommen und Mama und Papa Guten Tag sagen?«, fragte Lillebror.

»Mit tausend Freuden«, sagte Karlsson. »Es wird ihnen ein Vergnügen sein, mich kennen zu lernen, so schön und grundgescheit, wie ich bin!«

Karlsson spazierte im Zimmer auf und ab und sah zufrieden aus.

»Auch gerade richtig dick«, fügte er hinzu. »Ein Mann in meinen besten Jahren. Wird deiner Mama ein Vergnügen sein mich kennen zu lernen.«

In diesem Augenblick roch Lillebror den ersten schwachen Duft von frisch gebratenen Fleischklößen aus der Küche und er wusste, dass es jetzt gleich Zeit zum Abendessen war. Lillebror beschloss, bis nach dem Abendessen zu warten und Karlsson erst dann zu Mama und Papa zu bringen.

Es ist nie gut, Mütter zu stören, wenn sie Fleischklöße braten. Außerdem konnte es ja sein, dass Mama oder Papa anfangen würden mit Karlsson über die Dampfmaschine zu reden und über die Flecke auf dem Bücherbord. Und das musste verhindert werden. Das musste um jeden Preis verhindert werden. Beim Essen würde Lillebror seinen Eltern auf irgendeine Weise beibringen, wie man sich beim besten Dampfmaschinenaufpasser der Welt benimmt. Er brauchte nur etwas Zeit dazu. Nach dem Essen – das war gut. Dann wollte er die ganze Familie mit in sein Zimmer nehmen.

»Bitte sehr, hier habt ihr Karlsson vom Dach«, würde er sagen. Wie die staunen würden! Es würde wirklich Spaß machen, ihr Staunen zu sehen.

Karlsson hatte aufgehört herumzuspazieren. Er stand still und schnupperte wie ein Hühnerhund.

»Fleischklöße«, sagte er, »kleine gute Fleischklößchen ess ich *sehr* gerne!«

Lillebror wurde etwas verlegen. Darauf gab es eigentlich nur eine einzige Antwort: »Willst du dableiben und bei mir essen?« Das war es, was er eigentlich sagen musste. Aber er wagte nicht, Karlsson so ohne weiteres zum Essen mitzubringen. Es war etwas ganz anderes, wenn Krister und Gunilla bei ihm waren. Da konnte er, wenn es sich so traf, im letzten Augenblick, wenn die ganze übrige Familie sich schon gesetzt hatte, kommen und sagen:

»Liebe Mama, Krister und Gunilla dürfen doch auch ein bisschen Erbsen und Pfannkuchen mitessen?«

Aber ein völlig unbekannter kleiner, dicker Mann, der eine Dampfmaschine kaputtgemacht und Flecken auf das Bücherbord gemacht hatte – nein, das ging wirklich nicht an.

Andererseits hatte dieser kleine, dicke Mann gerade gesagt, er esse gute Fleischklöße so gern. Lillebror musste zusehen, dass er sie bekam, sonst wollte Karlsson vielleicht nicht mehr mit Lillebror zusammen sein. Oh, es hing so viel von Mamas Fleischklößen ab!

»Warte hier einen Augenblick«, sagte Lillebror. »Ich geh in die Küche und hol welche.«

Karlsson nickte zufrieden.

»Gut«, sagte er, »gut! Aber beeil dich! Man wird nicht satt davon, wenn man Bilder anschaut – ohne Hähne oder was!«

Lillebror rannte geschwind in die Küche. Da stand Mama

am Herd mit einer karierten Schürze und in dem allerherrlichsten Bratendunst. Sie schüttelte die große Bratpfanne über der Gasflamme und in der Pfanne hüpften eine Unmenge feiner, brauner Fleischklöße herum.

»Hallo, Lillebror«, sagte Mama. »Jetzt essen wir bald.«

»Liebe Mama, kann ich nicht ein paar Fleischklöße bekommen und mit zu mir reinnehmen?«, fragte Lillebror mit seiner einschmeichelndsten Stimme.

»Liebling, wir essen doch in wenigen Minuten.«

»Ja, aber trotzdem«, sagte Lillebror. »Nach dem Essen erkläre ich dir, wieso.«

»Ja, ja«, sagte Mama. »Dann sollst du ein paar haben!«

Sie legte sechs Fleischklöße auf einen kleinen Teller. Oh, sie dufteten so herrlich und sie waren klein und braun, genau wie sie sein sollten. Lillebror trug den Teller behutsam mit beiden Händen vor sich her und machte, dass er in sein Zimmer zurückkam.

»Hier, Karlsson«, rief er, als er die Tür öffnete.

Aber Karlsson war verschwunden. Da stand Lillebror mit den Fleischklößen, aber kein Karlsson war da. Lillebror war furchtbar enttäuscht. Auf einmal war alles so langweilig.

»Er ist weggegangen«, sagte er laut vor sich hin.

Aber da...

»Piep«, hörte er plötzlich jemanden sagen. »Piep!«

Lillebror sah sich um. Ganz unten am Fußende seines Bettes – unter der Decke – sah er einen kleinen dicken Klumpen, der sich bewegte. Von dort kam das Piep. Und gleich darauf kam Karlssons rotes Gesicht unter dem Laken hervor.

»Hihi«, sagte Karlsson. »›Er ist weggegangen‹, hast du gesagt. ›Er ist weggegangen‹ – hihi, das bin ich ja gar nicht. Ich hab ja bloß so getan.«

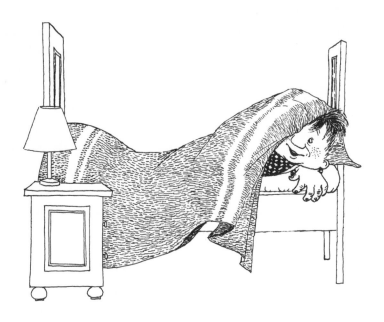

Da fiel sein Blick auf die Fleischklöße. Wips, drehte er an dem Knopf, den er auf dem Bauch hatte. Der Motor fing an zu brummen und Karlsson kam im Gleitflug vom Bett her und schnurstracks auf den Teller zu. Im Vorbeifliegen schnappte er sich einen Fleischkloß, stieg schnell zur Decke empor, kreiste um die Deckenlampe und kaute zufrieden an seinem Fleischkloß.

»Delikat«, sagte er. »Wunderbar – leckerer Fleischkloß!

Man sollte fast meinen, der beste Fleischklößemacher der Welt hätte ihn gemacht, aber das hat er ja nachweisbar *nicht* getan«, sagte Karlsson.

Und dann schoss er im Sturzflug auf den Teller herunter und schnappte sich einen neuen.

In dem Augenblick rief Mama aus der Küche:»Lillebror, wir wollen essen, wasch dir schnell die Hände und komm!«

»Ich muss wieder eine Weile weggehen«, sagte Lillebror und stellte den Teller ab.»Aber ich komm bald zurück. Versprich mir, dass du auf mich wartest.«

»Ja, aber was soll ich denn solange machen?«, sagte Karlsson und landete mit einem kleinen vorwurfsvollen Plumps neben Lillebror.»Ich muss inzwischen irgendwas Schönes haben. Hast du wirklich keine Dampfmaschinen mehr?«

»Nein«, sagte Lillebror,»aber du kannst meinen Baukasten leihen.«

»Her damit«, sagte Karlsson.

Lillebror holte seinen Baukasten aus dem Schrank, in dem er seine Spielsachen hatte. Es war wirklich ein schöner Baukasten mit vielen verschiedenen Teilen. Die konnte man zusammenschrauben und viele Sachen daraus bauen.

»Hier hast du ihn«, sagte er.»Man kann Autos bauen und Hebekräne und alles Mögliche ...«

»Meinst du, der beste Baumeister der Welt wüsste nicht, was man bauen und was man nicht bauen kann?«, fragte Karlsson.

Dann stopfte er sich rasch noch einen Fleischkloß in den Mund und machte sich über den Baukasten her.

»Jetzt wollen wir mal sehen, jetzt wollen wir mal sehen«,

sagte er und kippte den ganzen Inhalt des Kastens auf dem Fußboden aus.

Lillebror musste leider gehen, obwohl er viel lieber dageblieben wäre und zugesehen hätte, wenn der beste Baumeister der Welt ernstlich an die Arbeit ging.

Das Letzte, was er sah, als er sich in der Tür umwandte, war Karlsson, der auf der Erde saß und vergnügt vor sich hin sang:

>>Hurra, wie kann ich gut –
hurra, wie bin ich klug –
und grade, grade dick genug – happ!<<

Das Letzte sang er, nachdem er den vierten Fleischkloß verschlungen hatte. Mama und Papa und Birger und Betty saßen schon am Tisch. Lillebror setzte sich auf seinen Stuhl und band sich die Serviette um.

»Eins musst du mir versprechen, Mama, und du auch, Papa«, sagte er.

»Was sollen wir versprechen?«, fragte Mama.

»Erst versprechen«, sagte Lillebror.

Papa wollte nicht so ohne weiteres etwas versprechen.

»Wer weiß, vielleicht möchtest du wieder, dass ich dir einen Hund verspreche«, sagte er.

»Nein, keinen Hund«, sagte Lillebror, »obwohl du das auch gern versprechen kannst, wenn du willst. Nein, es ist was anderes und es ist überhaupt nichts Gefährliches. Versprecht mir, dass ihr versprecht!«

»Nun gut, wir versprechen also«, sagte Mama.

»So, jetzt habt ihr versprochen, dass ihr nichts zu Karlsson vom Dach wegen der Dampfmaschine sagt«, meinte Lillebror zufrieden.

»Ha«, sagte Betty, »wie sollen sie denn etwas zu Karlsson sagen, wenn sie ihn nie treffen?«

»Sie *werden* ihn aber treffen«, sagte Lillebror triumphierend. »Nach dem Essen. Er ist jetzt drüben in meinem Zimmer.«

»Nein, jetzt glaub ich fast, ich hab einen Kloß in den falschen Hals bekommen«, sagte Birger. »Karlsson ist in deinem Zimmer?«

»Ja, denk mal an, das ist er!«

Dies war wirklich ein Augenblick des Triumphes für Lillebror. Ach, wenn sie sich bloß mit dem Essen beeilen wollten, dann würden sie ja sehen...

Mama lächelte. »Es wird uns ein Vergnügen sein, Karlsson kennen zu lernen«, sagte sie.

»Ja, das hat Karlsson auch gesagt«, versicherte Lillebror. Endlich waren sie mit der Obstsuppe fertig. Endlich stand Mama vom Tisch auf. Jetzt war der große Augenblick da.

»Kommt alle mit«, sagte Lillebror.

»Dazu brauchst du uns nicht aufzufordern«, sagte Betty. »Ich kann es kaum aushalten, bis ich diesen Karlsson zu sehen kriege.«

Lillebror ging voraus.

»Vergesst nicht, was ihr versprochen habt«, sagte er, ehe er die Tür zu seinem Zimmer öffnete. »Nicht ein Wort wegen der Dampfmaschine!«

Dann drückte er die Türklinke herunter und öffnete. Karlsson war weg. *Er war weg.* Es lag kein kleiner dicker Klumpen unter der Decke in Lillebrors Bett.

Aber mitten im Zimmer erhob sich aus dem Durcheinander der Bausteine ein Turm. Ein sehr hoher und sehr schmaler Turm. Wenn Karlsson natürlich auch Hebekräne und anderes bauen konnte, so hatte er sich diesmal damit begnügt, Bausteine übereinander zu stapeln, sodass dieser sehr hohe und sehr schmale Turm daraus geworden war. Oben war der Turm mit etwas geschmückt, das offensichtlich eine Kuppel sein sollte. Es war ein kleiner runder Fleischkloß.

Karlsson spielt Zelt

Für Lillebror kamen ein paar schwierige Minuten. Mama war es nicht recht, dass man ihre Fleischklöße als Schmuck verwandte, und sie glaubte steif und fest, dass es Lillebror gewesen war, der den Turm so hübsch verziert hatte.

»Karlsson vom Dach...«, begann Lillebror, aber da sagte Papa streng:

»Jetzt ist aber Schluss mit den Karlsson-Fantasien, Lillebror!«

Birger und Betty lachten nur.

»So ein Karlsson«, sagte Birger, »musste er aber auch gerade rausgehen, als wir ihn begrüßen wollten!«

Lillebror aß traurig den Fleischkloß auf und packte seine Bausteine zusammen. Es hatte keinen Sinn, jetzt noch länger von Karlsson zu reden.

Aber es war leer ohne ihn, furchtbar leer.

»Jetzt trinken wir Kaffee und pfeifen auf Karlsson«, sagte Papa und strich Lillebror tröstend über die Wange.

Sie tranken den Kaffee immer im Wohnzimmer vor dem brennenden Kaminfeuer. Das taten sie heute Abend auch, obwohl draußen warmer, heller Frühling war und die Linden auf der Straße schon kleine, grüne Blättchen bekommen hatten. Lillebror mochte keinen Kaffee, aber er fand es

schön, mit Mama und Papa und Birger und Betty vor dem
Feuer zu sitzen.

»Mach einen Augenblick die Augen zu, Mama«, sagte Lillebror, nachdem Mama das Kaffeetablett auf den kleinen
Tisch neben dem offenen Kamin gestellt hatte.

»Weshalb soll ich die Augen zumachen?«

»Ja, du hast doch gesagt, du möchtest nicht sehen, dass ich
Zucker esse, und ich wollte mir gerade ein Stückchen nehmen«, sagte Lillebror.

Er brauchte etwas zum Trost, das fühlte er deutlich. Warum
war Karlsson weggegangen? Das gehörte sich wirklich

nicht – verschwinden und nur einen kleinen Fleischkloß hinterlassen.

Lillebror saß auf seinem Lieblingsplatz auf dem Kaminsockel, so dicht am Feuer, wie er nur konnte. Diese Kaffeestunde nach dem Essen war fast das Gemütlichste vom ganzen Tag. Man konnte mit Papa und Mama reden, und sie hörten zu, wenn man etwas sagte. Dazu hatten sie sonst nicht immer Zeit. Es machte auch Spaß, Birger und Betty zuzuhören, wie sie sich gegenseitig aufzogen und von der »Penne« redeten. Die »Penne« war ohne Zweifel eine ganz andere und feinere Art von Schule als die Kleinkinderschule, in die Lillebror ging. Lillebror hätte gern auch von seiner »Penne« erzählt, aber außer Mama und Papa interessierte sich niemand dafür, was dort passierte. Birger und Betty lachten nur darüber und Lillebror hütete sich etwas zu sagen, worüber Birger und Betty so spöttisch lachen konnten. Es hatte übrigens gar keinen Zweck, dass sie versuchten ihn zu ärgern – er war ein Meister darin, sie wiederzuärgern. Das *musste* man können, wenn man einen Bruder hatte wie Birger und eine Schwester wie Betty.

»Na, Lillebror, konntest du heute deine Aufgaben?«, fragte Mama.

Das war so eine Art Unterhaltung, die Lillebror nicht mochte. Aber da Mama eben nichts von dem Stück Zucker gesagt hatte, musste er sich wohl gefallen lassen, dass sie so fragte.

»Ja klar, *natürlich* konnte ich die Aufgaben«, sagte er mürrisch.

Er dachte die ganze Zeit an Karlsson. Wie konnte irgendein

Mensch verlangen, dass er sich an die Aufgaben erinnern sollte, solange er nicht wusste, wo Karlsson vorhin geblieben war!

»Was hattet ihr zu heute auf?«, fragte Papa.

Lillebror wurde ärgerlich. Wollten sie die ganze Zeit so weitermachen? Deshalb saß man doch wohl nicht vor dem Feuer und hatte es gemütlich – damit die Leute von Schulaufgaben redeten.

»Wir hatten das Alphabet auf«, sagte Lillebror schnell. »Das ganze lange Alphabet und ich *kann* es – zuerst kommt A und dann kommen all die anderen Buchstaben!«

Er nahm sich noch ein Stück Zucker und dachte wieder an Karlsson. Die mochten um ihn herum reden und brummen, so viel sie wollten, Lillebror dachte an Karlsson und fragte sich, ob er ihn wohl wieder sehen würde.

Betty weckte ihn aus seinen Träumereien.

»Lillebror, hörst du nicht? Möchtest du dir fünfundzwanzig Öre verdienen?«

Allmählich begriff Lillebror, was sie gesagt hatte. Er hatte nichts dagegen, fünfundzwanzig Öre zu verdienen, aber es kam natürlich darauf an, was Betty von ihm verlangte.

»Fünfundzwanzig Öre, das ist zu wenig«, sagte er selbstsicher. »Wo heutzutage alles so teuer ist. Was denkst du denn, wie viel zum Beispiel ein Fünfziger-Eis kostet?«

»Ja, was soll ich da schätzen?«, sagte Betty und machte ein pfiffiges Gesicht. »Fünfzig Öre vielleicht?«

»Ja, siehst du, das stimmt genau«, sagte Lillebror. »Und da siehst du wohl ein, dass fünfundzwanzig Öre zu wenig sind.«

»Du weißt ja noch gar nicht, worum es sich handelt«, sagte Betty. »Es ist nichts, was du tun sollst – sondern etwas, was du *nicht* tun sollst.«

»Was soll ich denn nicht tun?«

»Du sollst dich heute Abend nicht hier im Wohnzimmer zeigen.«

»Pelle kommt, musst du wissen«, sagte Birger. »Bettys neuer Freund!«

Lillebror nickte. Aha, so hatten sie sich das also gedacht: Mama und Papa wollten ins Kino gehen und Birger zu einem Fußballspiel und Betty wollte mit Pelle allein im Wohnzimmer sitzen und Lillebror sollte in sein Zimmer verwiesen werden – gegen eine lumpige Entschädigung von fünfundzwanzig Öre. Nette Familie, die man hatte.

»Was hat er für Ohren?«, fragte Lillebror. »Stehen die genauso weit ab wie bei deinem früheren Freund?«

So musste man es machen, wenn man Betty ärgern wollte.

»Da hörst du, Mama«, sagte sie. »Verstehst du jetzt, weshalb ich Lillebror aus dem Weg haben will? Er vertreibt jeden, der mich besuchen kommt.«

»Oh, das tut er doch gar nicht«, sagte Mama lahm. Sie mochte es nicht, wenn ihre Kinder sich zankten.

»Doch tut er das«, versicherte Betty. »Hat er Klas vielleicht nicht vertrieben? Vor den hat er sich hingestellt und ihn eine ganze Weile angeglotzt und dann hat er gesagt: ›Solche Ohren kann Betty bestimmt nicht leiden.‹ Das müsst ihr doch verstehen, dass Klas dann nicht mehr wiedergekommen ist.«

»Ruhig, ganz ruhig«, sagte Lillebror in genau dem gleichen

Tonfall wie Karlsson. »Ruhig, ganz ruhig! Ich *werde* in meinem Zimmer bleiben und ich mach's umsonst. Ich lass mir nichts bezahlen dafür, dass den Leuten mein Anblick erspart bleibt.«

»Gut«, sagte Betty. »Deine Hand darauf! Deine Hand darauf, dass du dich den ganzen Abend nicht zeigst.«

»Hier meine Hand«, sagte Lillebror. »Ich bin nicht so wild auf alle deine Pelles, das denk bloß nicht. Ich würde eher fünfundzwanzig Öre dazubezahlen, damit ich sie nicht zu sehen brauche!«

Ein Weilchen später saß Lillebror ganz richtig drinnen in seinem Zimmer – völlig unentgeltlich. Mama und Papa waren ins Kino gegangen, Birger war verschwunden und aus dem Wohnzimmer konnte Lillebror, wenn er seine Tür aufmachte, ein leises Gemurmel hören. Das war Betty, die mit ihrem Pelle murmelte. Lillebror machte die Tür ein paar Mal auf und versuchte zu verstehen, was sie sagten, aber es ging nicht. Da stellte er sich ans Fenster und schaute in die Dämmerung hinaus. Er guckte auf die Straße um nachzusehen, ob Krister und Gunilla draußen waren. Da waren aber nur ein paar große Jungen, die sich balgten. Es war ganz interessant, er hatte Unterhaltung, solange die Balgerei dauerte, doch leider hörten die Jungen ziemlich bald auf, sich zu hauen, und dann war alles wieder genauso langweilig.

Da hörte er ein himmlisches Geräusch. Er hörte das Brummen des Motors und gleich darauf kam Karlsson zum Fenster hereingesegelt.

»Heißa hopsa, Lillebror«, sagte er übermütig.

»Heißa hopsa, Karlsson«, sagte Lillebror. »Wo warst du denn?«

»Wieso? Was meinst du?«, fragte Karlsson.

»Ja, du bist doch verschwunden«, sagte Lillebror, »als du Mama und Papa Guten Tag sagen solltest. Warum bist du abgehauen?«

Karlsson stemmte die Hände in die Seiten und sah richtig ärgerlich aus.

»Nein, hat man so was schon gehört«, sagte er. »Darf man sich denn nicht mal um sein Haus kümmern? Ein Hausbesitzer muss doch mal nach seinem Haus sehen – was wären das sonst für Zustände? Kann ich was dafür, dass deine Mama und dein Papa mir ihre Aufwartung machen wollen, ausgerechnet wenn ich weg bin und mich um mein Haus kümmern muss?«

Er sah sich im Zimmer um.

»Apropos Haus«, sagte er, »wo ist mein Turm? Wer hat meinen feinen Turm kaputtgemacht und wo ist mein Fleischkloß?«

Lillebror fing an zu stottern.

»Ich dachte, du kommst nicht mehr zurück«, sagte er ängstlich.

»Na klar, so ist das also«, sagte Karlsson. »Der beste Baumeister der Welt baut einen Turm und was passiert? Baut einer einen kleinen Zaun drum herum und passt auf, dass der Turm für immer stehen bleibt? Nein, denkt nicht dran! Abreißen und ihn kaputtmachen, das tun sie und essen anderer Leute Fleischklöße auf!«

Karlsson setzte sich auf eine Fußbank und maulte.

»Ach, das stört doch keinen großen Geist«, sagte Lillebror und wedelte mit der Hand genau wie Karlsson. »Daraus braucht man sich doch nichts zu machen.«

»Das meinst du«, sagte Karlsson entrüstet. »Es ist leicht, alles abzureißen, und hinterher sagt man bloß, es stört keinen großen Geist, und damit ist der Fall erledigt. Wo ich doch den Turm mit diesen armen kleinen Händen hier gebaut habe!«

Er hielt Lillebror seine kleinen dicken Hände unter die Nase. Dann setzte er sich wieder auf den Schemel und maulte noch mehr.

»Ich mach nicht mit«, sagte er. »Ich mach nicht mit, wenn es so läuft.«

Lillebror war völlig verzweifelt. Er stand da und wusste nicht, was er tun sollte. Es war lange Zeit ganz still.

Schließlich sagte Karlsson:

»Wenn ich ein kleines Geschenk kriege, vielleicht würde ich dann wieder fröhlich werden. Es ist nicht sicher, aber *vielleicht* würde ich vergnügt werden, wenn ich ein kleines Geschenk kriege.«

Lillebror rannte zum Tisch und begann eifrig in der Tischschublade zu kramen, denn hier hatte er eine ganze Menge schöner Sachen aufbewahrt. Hier lagen seine Briefmarken und seine Murmeln und seine Zinnsoldaten. Und hier lag auch eine kleine Taschenlampe, die er sehr gern hatte.

»Möchtest du die haben?«, fragte er und hielt die Taschenlampe hoch, damit Karlsson sie sehen konnte.

Karlsson griff blitzschnell zu.

»Grad so was muss es sein, wenn ich wieder vergnügt werden soll«, sagte er. »Sie ist nicht so fein wie mein Turm; aber wenn ich sie kriege, dann versuch ich, ob ich nicht wenigstens ein *bisschen* vergnügt sein kann.«

»Du kriegst sie«, sagte Lillebror.

»Sie geht hoffentlich anzuknipsen«, sagte Karlsson misstrauisch und drückte auf den Knopf. O ja, die Taschenlampe strahlte auf und Karlssons Augen begannen ebenfalls zu strahlen.

»Denk mal, wenn ich im Herbst abends oben auf dem Dach herumgehe und es ist so dunkel, dann kann ich damit leuchten und in mein kleines Haus zurückfinden und verlauf mich nicht zwischen all den Schornsteinen«, sagte er und streichelte die Taschenlampe.

Lillebror war sehr zufrieden, als er Karlsson so reden hörte. Er wünschte nur, er könnte Karlsson einmal auf einem seiner Dachspaziergänge begleiten und ihn im Dunkeln mit der Taschenlampe leuchten sehen.

»Heißa hopsa, Lillebror, jetzt bin ich wieder vergnügt«, sagte Karlsson. »Hol deine Mama und deinen Papa her, dann können sie mir Guten Tag sagen.«

»Die sind im Kino«, sagte Lillebror.

»Im Kino? Wenn sie *mich* kennen lernen können?«, sagte Karlsson erstaunt.

»Ja, nur Betty ist zu Hause – und dann ihr neuer Freund. Sie sitzen im Wohnzimmer und ich darf nicht rein.«

»Was hör ich da?«, schrie Karlsson. »Darfst du nicht hingehen, wohin du willst? Ich denk nicht daran, uns das auch nur eine Minute gefallen zu lassen. Komm nur mit.«

»Ja, aber ich hab's versprochen«, sagte Lillebror.

»Und *ich* verspreche dir, wenn irgendetwas ungerecht ist, wips, stößt Karlsson darauf nieder wie ein Habicht«, sagte Karlsson.

Er ging zu Lillebror und klopfte ihm auf die Schulter. »Was hast du eigentlich *genau* versprochen?«

»Ich hab versprochen, mich den ganzen Abend nicht im Wohnzimmer zu zeigen.«

»Na, dann sollst du dich auch nicht zeigen«, sagte Karlsson. »Aber du möchtest doch bestimmt Bettys neuen Freund gerne sehen?«

»Ja, siehst du, das möchte ich eigentlich«, sagte Lillebror lebhaft. »Sie hatte vorher einen, dem standen die Ohren so unverantwortlich weit vom Kopf ab. Ich möchte gern sehen, was für Ohren dieser Neue hat.«

»Ja, das möchte ich wahrhaftig auch«, sagte Karlsson.

44

»Wart ein bisschen, dann denk ich mir irgendwas aus. Der beste Ausdenker der Welt – das ist Karlsson vom Dach.«
Er schaute sich im Zimmer um.
»Da haben wir es«, sagte er und nickte. »Eine Decke – genau das brauchen wir. Ich wusste doch, dass ich mir irgendwas ausdenken würde.«
»Was hast du dir denn ausgedacht?«, fragte Lillebror.
»Du hast versprochen, dich den ganzen Abend nicht im Wohnzimmer zu zeigen – war es nicht so? Aber wenn du unter einer Decke bist, dann zeigst du dich nicht.«
»Nein – aber…«, begann Lillebror.
»Wenn du unter einer Decke bist, dann zeigst du dich nicht, kein ›nein, aber‹«, sagte Karlsson bestimmt. »Und wenn ich unter einer Decke bin, dann zeige ich mich auch nicht und das ist schlimm für Betty. Wenn sie so dumm ist, kriegt sie mich nicht zu sehen, die arme, arme kleine Betty.«
Er zerrte die Decke von Lillebrors Bett herunter und warf sie sich über den Kopf. »Komm herein, komm herein!«, rief er. »Komm in mein Zelt!«
Lillebror kroch unter die Decke und da drinnen stand Karlsson und kicherte zufrieden.
»Betty hat doch nichts davon gesagt, dass sie kein Zelt im Wohnzimmer sehen will? Jeder Mensch freut sich doch, wenn er ein Zelt zu sehen bekommt. Besonders ein Zelt, in dem es leuchtet«, sagte Karlsson und knipste die Taschenlampe an.
Lillebror war sich nicht sicher, ob Betty sich über das Zelt so freuen würde, aber er selber fand es spannend und ge-

45

heimnisvoll, mit Karlsson unter der Decke zu stecken und mit der Taschenlampe zu leuchten. Lillebror meinte, sie könnten ebenso gut bleiben, wo sie waren, und Zelt spielen und auf Betty pfeifen. Aber davon wollte Karlsson nichts wissen.

»Ich dulde keine Ungerechtigkeit«, sagte er. »Ich muss ins Wohnzimmer rein, koste es, was es wolle.«

Und nun begann das Zelt zur Tür zu wandern. Lillebror brauchte nur mitzugehen. Eine kleine dicke Hand streckte sich heraus und packte den Türgriff und machte die Tür sehr leise und vorsichtig auf. Das Zelt kam in die Diele hinaus, die lediglich durch einen dicken Vorhang vom Wohnzimmer abgetrennt war.

»Ruhig, ganz ruhig«, flüsterte Karlsson.

Und völlig geräuschlos wanderte das Zelt durch die Diele und blieb hinter dem Vorhang stehen. Das Gemurmel war jetzt etwas deutlicher zu hören, aber noch immer nicht so deutlich, dass man irgendwelche Worte unterscheiden konnte. Das Licht im Wohnzimmer war ausgeschaltet, Betty und ihr Pelle begnügten sich offenbar mit dem schwachen Zwielicht von draußen.

»Das ist gut«, flüsterte Karlsson, »dann ist meine Taschenlampe umso besser zu sehen.«

In diesem Augenblick hatte er die Taschenlampe jedenfalls ausgeknipst.

»Wir müssen als eine freudige und liebe Überraschung kommen«, flüsterte Karlsson und schmunzelte unter der Decke.

Langsam, langsam wanderte das Zelt hinter dem Vorhang hervor und ins Zimmer. Betty und Pelle saßen auf dem kleinen Sofa an der gegenüberliegenden Wand. Langsam, langsam steuerte das Zelt darauf zu.

»Ich hab dich gern, Betty«, hörte Lillebror eine raue Jungenstimme sagen – wie war er bloß albern, dieser Pelle!

»Wirklich?«, sagte Betty und dann wurde es wieder still.

Wie eine dunkle Masse bewegte sich das Zelt vorwärts, langsam und unaufhaltsam steuerte es auf das Sofa zu, näher und näher kam es. Jetzt waren es nur noch wenige Schritte; aber die beiden, die dort saßen, weder hörten noch sahen sie etwas.

»Magst du mich, Betty?«, fragte Bettys Pelle sehr schüchtern.

Er bekam keine Antwort mehr. Denn in diesem Augenblick

durchschnitt der Strahl einer Taschenlampe die grauen
Schatten im Zimmer und fiel ihm voll ins Gesicht. Pelle fuhr
hoch, Betty schrie auf und man hörte Kichern und Trappeln
von Füßen, die hastig auf die Diele zu rannten.

Man kann nichts sehen, wenn man gerade von einer Taschenlampe geblendet worden ist. Aber *hören* kann man.
Und Betty und ihr Pelle hörten das Gelächter, ein wildes,
begeistertes Gelächter, das von der anderen Seite des Vor-
hangs hervorblubberte.

»Das ist mein abscheulicher kleiner Bruder«, sagte Betty.
»Aber der kriegt jetzt was...«

Lillebror kicherte und kicherte immerzu.

»Klar mag sie dich«, schrie er. »Warum sollte sie dich nicht
mögen? Betty mag *alle* Jungens, dass du's weißt!«

Dann war nur noch ein Gepolter zu hören und noch mehr
Gekicher.

48

»Ruhig, ganz ruhig«, flüsterte Karlsson, als das Zelt bei ihrer wilden Flucht zur Tür abrutschte.

Lillebror war so ruhig, wie er konnte, obwohl das Lachen noch immer in ihm blubberte und obwohl Karlsson direkt auf ihn gefallen war und er nicht mehr wusste, welche Beine seine eigenen und welche Karlssons waren, und obwohl ihm klar war, dass Betty sie jeden Augenblick eingeholt haben konnte.

Sie rappelten sich hoch, so schnell es nur ging, und stürzten aufgeregt auf Lillebrors Zimmer zu, denn Betty war dicht hinter ihnen.

»Ruhig, ganz ruhig«, flüsterte Karlsson und seine kurzen, dicken Beine bewegten sich unter der Decke wie Trommelstöcke. »Der beste Schnellläufer der Welt, das ist Karlsson vom Dach!«, flüsterte er, aber er schien ziemlich außer Atem zu sein.

Lillebror rannte auch ganz schön. Und es war höchste Zeit! In der allerletzten Sekunde retteten sie sich durch die Tür in Lillebrors Zimmer hinein. Karlsson drehte schnell den Schlüssel um und stand da und kicherte leise und befriedigt, als Betty an die Tür klopfte.

»Warte nur, Lillebror! Wenn ich dich zu fassen kriege!«, schrie sie wütend.

»Aber ich hab mich jedenfalls nicht gezeigt!«, schrie Lillebror zurück.

Und dann kicherte es wieder hinter der Tür.

Es waren *zwei*, die kicherten – das hätte Betty sehr gut hören können, wenn sie nicht so wütend gewesen wäre.

Karlsson wettet

L illebror kam eines Tages von der Schule nach Hause. Er war erbost und hatte eine große Beule auf der Stirn. Mama war in der Küche und sie war genau so erschüttert über die Beule, wie Lillebror es gehofft hatte.

»Liebster Lillebror, was ist passiert?«, sagte sie und nahm ihn in die Arme.

»Krister hat mich mit Steinen geschmissen«, sagte Lillebror böse.

»Nein, nun hört doch aber alles auf«, sagte Mama, »so ein Lümmel! Warum kommst du denn nicht rauf und sagst es mir?«

Lillebror zuckte die Achseln.

»Wozu hätte das gut sein sollen? Du kannst doch nicht mit Steinen schmeißen. Du würdest nicht mal eine Scheunenwand richtig treffen.«

»Ach, du kleines Dummerchen«, sagte Mama. »Du denkst doch nicht etwa, dass ich Krister mit Steinen schmeißen will?«

»Womit willst du denn sonst schmeißen?«, fragte Lillebror.

»Was anderes gibt es nicht, wenigstens nichts, was genauso gut ist.«

Mama seufzte. Es war kein Zweifel, dass nicht nur Krister

zuschlug, wenn es nötig war. Ihr eigener Liebling war keine Spur besser. Aber wie war es möglich, dass ein kleiner Bengel, der so liebe blaue Augen hatte, ein solcher Raufbold war?

»Wenn ihr es euch nur abgewöhnen könntet, euch zu hauen«, sagte Mama. »Man kann doch stattdessen über die Dinge *reden*! Weißt du, Lillebror, es gibt tatsächlich nichts, was man nicht ins Reine bringen kann, wenn man darüber ordentlich spricht.«

»Das gibt es aber doch«, sagte Lillebror. »Zum Beispiel gestern. Da hab ich mich auch mit Krister gehauen…«

»Völlig unnötig«, sagte Mama. »Ihr hättet ebenso gut durch ein vernünftiges Gespräch klären können, wer Recht hatte.«

Lillebror setzte sich an den Küchentisch und stützte seinen verletzten Kopf in die Hände.

»Denkst du, ja«, sagte er und sah seine Mama finster an. »Krister hat nämlich zu mir gesagt: ›Ich kann dir eins reinhauen‹, hat er gesagt und da hab ich gesagt: ›Das kannst du ja mal versuchen.‹ Wie hätten wir so was wohl durch ein vernünftiges Gespräch klären sollen? Kannst du mir das mal sagen?«

Das konnte Mama nicht und sie beendete unverzüglich ihre Friedenspredigt. Ihr Raufbold von einem Sohn sah ziemlich finster aus und sie stellte ihm eiligst heißen Kakao und frische Zimtwecken hin. Das war etwas, das Lillebror mochte. Er hatte den lieblichen Duft von frisch gebackenem Hefekuchen schon im Treppenhaus gerochen und Mamas herrliche Zimtwecken machten ihm das Leben wenigstens ein bisschen leichter.

Lillebror biss nachdenklich in einen Wecken und während er aß, klebte Mama ihm ein Pflaster auf die Wunde an der Stirn. Dann gab sie ihm einen kleinen Kuss auf das Pflaster und fragte:

»Weswegen habt ihr euch denn heute gezankt, Krister und du?«

»Krister und Gunilla sagen, dass Karlsson vom Dach eine Einbildung ist. Sie haben gesagt, er wäre nur eine Erfindung«, sagte Lillebror.

»Ist er das denn nicht?«, fragte Mama ein bisschen vorsichtig.

Lillebror starrte sie über die Kakaotasse hinweg verdrießlich an.

»Kannst *du* nicht wenigstens glauben, was ich sage?«, sagte
er. »Ich habe Karlsson gefragt, ob er eine Erfindung ist...«
»Und was hat Karlsson gesagt?«, fragte Mama.
»Er sagte, wenn *er* eine Erfindung wäre, dann wäre er die
beste Erfindung der Welt. Aber nun ist er zufällig keine«,
sagte Lillebror und nahm sich einen neuen Wecken. »Karlsson meint, Krister und Gunilla sind Erfindungen. Ganz besonders dumme Erfindungen, sagt er, und das finde ich
auch.«
Mama antwortete nicht. Sie sah ein, dass es zwecklos war,
noch länger über Lillebrors Fantasien zu reden, und darum
sagte sie nur:
»Ich finde, du solltest ein bisschen mehr mit Gunilla und
Krister spielen und nicht so viel an Karlsson denken.«
»Karlsson schmeißt mich wenigstens nicht mit Steinen«,
sagte Lillebror und befühlte die Beule auf der Stirn. Dann
kam ihm ein Gedanke und er lächelte Mama sonnig an.
»Heute darf ich übrigens sehen, wo Karlsson wohnt«, sagte
er, »das hätte ich ja fast vergessen.«
Er bereute es, kaum dass er es gesagt hatte. Wie konnte er
so dumm sein und es Mama erzählen?
Aber in Mamas Ohren klang es nicht gefährlicher und be-
unruhigender als irgendetwas anderes, was er über Karlsson
erzählte, und sie sagte gedankenlos: »Soso, wie schön für
dich.«
Ganz so ruhig wäre sie wohl kaum gewesen, wenn ihr richtig aufgegangen wäre, was Lillebror gesagt hatte. Und wenn

sie darüber nachgedacht hätte, wo dieser Karlsson wohnte! Lillebror stand vom Tisch auf, satt und zufrieden und plötzlich sehr einverstanden mit seiner Welt. Die Beule an der Stirn tat nicht mehr weh, er hatte noch immer den herrlichen Zimtweckengeschmack im Mund, die Sonne schien durchs Küchenfenster und Mama sah so lieb aus mit ihren runden Armen und ihrer karierten Schürze. Er drückte sie einen Augenblick lang ganz fest und sagte:»Ich mag dich gern, Mama.«

»Wie bin ich froh darüber«, sagte Mama.

»Ja... ich hab dich gern, weil du rundherum so lieb bist.«

Dann ging er in sein Zimmer und setzte sich hin, um auf Karlsson zu warten. Er durfte ihn aufs Dach hinauf begleiten – was machte es da schon, wenn Krister sagte, dass Karlsson nur eine Erfindung war!

Lillebror musste lange warten.

»Ich komme ungefähr um drei Uhr oder um vier oder fünf, aber nicht eine Minute vor sechs«, hatte Karlsson gesagt. Lillebror hatte trotzdem nicht so recht verstanden, wann Karlsson kommen wollte, und er hatte noch einmal nachgefragt.

»Auf alle Fälle nicht später als sieben«, hatte Karlsson gesagt. »Aber kaum vor acht. Und, pass auf, ungefähr so um neun Uhr ungefähr, da klappt es!«

Lillebror musste eine ganze Ewigkeit warten und zuletzt glaubte er fast, Karlsson sei eine Erfindung geworden. Aber da hörte er plötzlich das gewohnte Brummen und herein kam Karlsson, munter und vergnügt.

»Oh, ich hab so gewartet«, sagte Lillebror. »Was hast du gesagt, wann du kommen würdest?«

»*Ungefähr*«, sagte Karlsson. »Ich sagte, ich würde *ungefähr* kommen, und das hab ich ja auch getan.«

Er ging zu Lillebrors Aquarium, steckte das ganze Gesicht ins Wasser und trank in langen Zügen.

»Oh, pass auf, meine Fische«, sagte Lillebror ängstlich.

Er hatte Angst, dass Karlsson seine kleinen Guppys mit austrinken könnte, die so munter im Aquarium herumschwammen.

»Wenn man Fieber hat, dann muss man massenhaft trinken«, sagte Karlsson. »Und ob da der eine oder andere kleine Fisch mit durchrutscht, das stört keinen großen Geist.«

»Hast du Fieber?«, fragte Lillebror.

»Und ob! Fühl mal«, sagte Karlsson und legte Lillebrors Hand auf seine Stirn.

56

Aber Lillebror fand nicht, dass Karlsson sich besonders heiß anfühlte.

»Wie viel Fieber hast du?«, fragte er.

»Tja, so etwa dreißig, vierzig Grad«, sagte Karlsson. »Mindestens!«

Lillebror hatte kürzlich die Masern gehabt und wusste, was es hieß, Fieber zu haben. Er schüttelte den Kopf.

»Ich glaube nicht, dass du krank bist«, sagte er.

»Oh, wie bist du gemein«, sagte Karlsson und stampfte mit dem Fuß auf. »Darf ich denn *nie* krank sein wie andere Menschen?«

»Möchtest du denn krank sein?«, fragte Lillebror verwundert.

»Das möchten doch alle Menschen«, sagte Karlsson. »Ich möchte in meinem Bett liegen und viel, viel Fieber haben und du sollst fragen, wie ich mich fühle, und ich werde sagen, ich sei der Kränkste der Welt, und du sollst fragen, ob ich gern irgendwas haben möchte, und ich werde sagen, ich bin so krank, so krank, dass ich nicht das Geringste haben möchte... außer einem Berg Torte und ziemlich viel Kuchen und einer Menge Schokolade und einem ganzen Haufen Bonbons.«

Karlsson schaute Lillebror erwartungsvoll an, der ganz hilflos dastand und nicht wusste, wo er plötzlich all das herbekommen sollte, was Karlsson haben wollte.

»Ich möchte, dass du wie eine Mutter zu mir bist«, fuhr Karlsson fort, »und du sollst sagen, dass ich irgend so 'ne grässliche Medizin einnehmen *muss* – aber dafür bekäme ich dann auch fünf Öre. Und dann musst du mir einen war-

men Wollschal um den Hals wickeln, aber dann sage ich, der kratzt – wenn ich nicht noch fünf Öre dazukriege.«
Lillebror wollte gern wie eine Mutter zu Karlsson sein. Und das hieß, dass er sein Sparschwein ausleeren musste. Es stand auf dem Bücherregal, schwer und prächtig. Lillebror holte ein Messer aus der Küche und machte sich daran,

Fünförestücke herauszustochern. Karlsson half ihm mit größtem Eifer und jubelte bei jeder Münze auf, die herausgepurzelt kam. Es rutschten auch eine ganze Menge Zehner und Fünfundzwanziger heraus, aber Karlsson mochte am liebsten die Fünfer, weil sie viel größer waren.
Dann lief Lillebror zum Laden hinunter und kaufte fast für

das ganze Geld Bonbons und Schokolade. Als er sein Vermögen hinlegte, dachte er einen Augenblick daran, dass er all dies Geld gespart hatte, um sich einen Hund zu kaufen. Er seufzte ein bisschen bei dem Gedanken. Aber ihm war klar, dass derjenige, der wie eine Mutter zu Karlsson sein sollte, es sich nicht leisten konnte, einen Hund zu halten.

Auf dem Rückweg ging Lillebror wie von ungefähr durchs Wohnzimmer – die Süßigkeiten hatte er gut in den Hosentaschen versteckt. Alle saßen hier beisammen, Mama und Papa und Birger und Betty, und tranken Kaffee nach dem Essen. Aber heute hatte Lillebror keine Zeit, dabei zu sein.

Einen Augenblick überlegte er, ob er sie bitten sollte mitzukommen und Karlsson Guten Tag zu sagen, aber nach weiterem Nachdenken beschloss er es zu lassen. Dann würden sie ihn ja doch nur daran hindern, Karlsson zum Dach hinaufzubegleiten. Es war bestimmt das Beste, wenn sie ihn ein andermal begrüßen durften. Lillebror nahm sich ein paar Mandelkekse vom Tablett – denn Karlsson hatte ja gesagt, dass er auch Kuchen haben wollte – und dann rannte er in sein Zimmer.

»Wie lange soll man hier sitzen und warten, so krank und elend wie man ist?«, fragte Karlsson vorwurfsvoll. »Das Fieber steigt mehrere Grade in der Minute und jetzt kann man Eier auf mir kochen.«

»Ich hab mich beeilt, sosehr ich konnte«, sagte Lillebror. »Und ich hab so viel gekauft...«

»Aber du hast doch noch Geld übrig, damit ich fünf Öre kriegen kann, falls der Wollschal kratzt?«, fragte Karlsson ängstlich.

Lillebror beruhigte ihn. Ein paar Fünfer hatte er zurückbehalten.

Karlssons Augen funkelten und er machte vor Begeisterung einen Luftsprung.

»Ach, ich bin der Kränkste der Welt«, sagte er. »Wir müssen mich so schnell wie möglich ins Bett bringen.«

Erst jetzt begann Lillebror darüber nachzugrübeln, wie er aufs Dach hinaufkommen sollte, da er doch nicht fliegen konnte.

»Ruhig, ganz ruhig«, sagte Karlsson. »Ich nehme dich auf den Rücken und heißa hopsa fliegen wir zu mir hinauf! Du musst dich nur in Acht nehmen, dass du die Finger nicht in den Propeller bekommst.«

»Glaubst du denn wirklich, dass du mich tragen kannst?«, fragte Lillebror.

»Das werden wir sehen«, sagte Karlsson. »Es ist ganz interessant zu sehen, ob ich mehr als den halben Weg schaffe, so krank und elend, wie ich bin. Aber es gibt immer noch den Ausweg, dass ich dich abwerfen kann, wenn ich merke, dass es nicht geht.«

Lillebror fand diesen Ausweg, auf halbem Wege abgeworfen zu werden, nicht gut und er machte ein etwas bedenkliches Gesicht.

»Aber es wird schon gut gehen«, sagte Karlsson. »Wenn ich bloß keinen Motorschaden kriege.«

»Denk bloß, wenn du den kriegst, dann stürzen wir ja ab«, sagte Lillebror.

»Platsch, klar tun wir das«, sagte Karlsson vergnügt. »Aber das stört keinen großen Geist.« Und er wedelte mit der Hand.

60

Lillebror beschloss auch ein großer Geist zu sein und sich nicht dadurch stören zu lassen. Er schrieb einen kleinen Zettel an Mama und Papa und legte ihn auf den Tisch:

ICH BIN OHBEN BEI KALSON AUFM DACH

Am besten wäre es, er könnte zurück sein, ehe sie den Zettel gelesen hätten. Sollten sie Lillebror aber zufällig vermissen, dann war es nötig, dass sie erfuhren, wo er steckte. Sonst würde es vielleicht genauso einen Aufruhr geben wie damals, als sie bei der Großmutter waren und Lillebror auf eigene Faust Eisenbahn gefahren war. Mama hatte hinterher geweint und gesagt:
»Aber Lillebror, wenn du durchaus Eisenbahn fahren wolltest, warum hast du es mir dann nicht gesagt?«
»Na, weil ich Eisenbahn fahren *wollte*«, sagte Lillebror.
Jetzt war es genauso. Er *wollte* mit Karlsson aufs Dach hinauf und daher war es am besten, keinen zu fragen. Wenn sie entdeckten, dass er fort war, konnte er sich immer damit verteidigen, dass er jedenfalls diesen Zettel da geschrieben hatte.
Nun war Karlsson startbereit. Er drehte am Knopf, den er auf dem Bauch hatte, und der Motor begann zu brummen.
»Spring auf«, schrie er, »jetzt geht's los!«
Und es ging los. Hinaus aus dem Fenster und hinauf in die Luft. Karlsson drehte eine kleine Extrakurve über die nächsten Hausdächer um zu sehen, ob der Motor auch ordentlich lief. Der brummte gleichmäßig und schön und Lillebror hatte nicht ein bisschen Angst, sondern fand es bloß lustig.

Schließlich landete Karlsson auf ihrem Dach.

»Jetzt wollen wir mal sehen, ob du mein Haus findest«, sagte Karlsson. »Ich verrate nicht, dass es hinterm Schornstein steht. Das musst du selbst rauskriegen.«

Lillebror war noch nie auf einem Dach gewesen. Aber manchmal hatte er gesehen, wie Männer von oben Schnee herunterschaufelten und mit einem Seil um den Bauch auf dem Dach herumstiegen. Lillebror hatte immer gefunden,

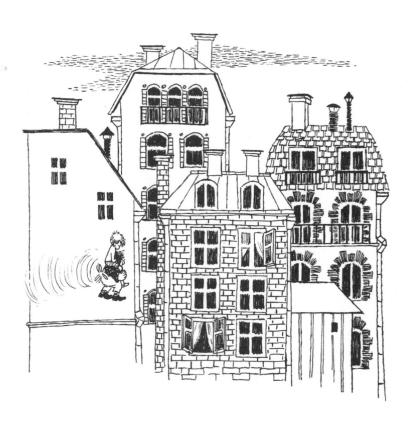

die hätten Glück, dass sie das durften. Aber jetzt hatte er selbst das Glück – obwohl er natürlich kein Seil um den Bauch hatte. Und es kribbelte ihm so komisch im Magen, als er auf den Schornstein zu balancierte. Dahinter lag tatsächlich Karlssons kleines Haus. Oh, es war so süß und hatte grüne Fensterläden und eine gemütliche Treppe davor, auf der man sitzen konnte, wenn man Lust hatte. Aber im Augenblick wollte Lillebror nur so schnell wie möglich ins Haus hinein und all die Dampfmaschinen und Hähnebilder und alles andere sehen, was Karlsson hatte.

An der Tür war ein Schild, damit man wusste, wer hier wohnte.

KARLSSON VOM DACH
Der beste Karlsson der Welt

stand auf dem Schild.

Und Karlsson machte die Tür sperrangelweit auf und schrie:

»Willkommen, lieber Karlsson – und du auch, Lillebror!«

Dann stürzte er vor Lillebror hinein.

»Ich muss ins Bett, denn ich bin der Kränkste der Welt!«, schrie er und warf sich kopfüber auf ein rot gestrichenes Holzsofa, das an der einen Wand stand.

Lillebror folgte ihm hinein. Er war so neugierig, dass er fast platzte.

Es war furchtbar gemütlich bei Karlsson, das sah Lillebror auf den ersten Blick. Außer dem Holzsofa gab es da eine Hobelbank, die Karlsson offenbar auch als Tisch benutzte, und dann standen da noch ein Schrank und ein paar Stühle und ein offener Kamin mit einem eisernen Rost war auch da. Hier machte sich Karlsson wohl sein Essen. Aber irgendwelche Dampfmaschinen waren nicht zu sehen. Lillebror schaute sich lange um, konnte aber nicht eine einzige entdecken und schließlich fragte er:

»Wo hast du deine Dampfmaschinen?«

»Hrrrhm«, machte Karlsson. »Meine Dampfmaschinen – die sind alle miteinander explodiert. Ein Fehler an den Sicherheitsventilen, weiter nichts! Aber das stört keinen großen Geist und darüber braucht man nicht zu trauern.«

Lillebror guckte sich noch einmal um.

»Aber deine Hähnebilder? Sind die auch explodiert?«, fragte er. Er war richtig ein bisschen spöttisch.

»Natürlich nicht«, sagte Karlsson. »Was ist wohl das da?«, fragte er und zeigte auf ein Stück Pappe, das neben dem Schrank an die Wand genagelt war.

Ganz unten in der einen Ecke der Pappe war tatsächlich ein Hahn, ein winzig kleiner roter Hahn. Sonst war die Pappe leer.

»*Sehr einsamer kleiner roter Hahn* heißt dieses Bild«, sagte Karlsson.

Lillebror sah sich den kleinen Hahn an. Karlssons tausend Hähnebilder – waren sie, wenn es darauf ankam, nichts weiter als dies kleine Hahnengerippe da?

»›Sehr einsamer kleiner roter Hahn‹, vom besten Hähnemaler der Welt gemalt«, sagte Karlsson mit zittriger Stimme. »Ach, wie ist das Bild wunderschön und traurig! Aber jetzt darf ich nicht anfangen zu weinen, sonst steigt das Fieber.«

Er warf sich rücklings auf die Kissen und fasste sich an die Stirn.

»Du musst wie eine Mutter zu mir sein, fang an«, sagte er.

Lillebror wusste nicht so recht, wie er anfangen sollte.

»Hast du irgendeine Medizin?«, fragte er zögernd.

»Ja, aber keine, die ich einnehmen mag«, sagte Karlsson.

»Hast du noch einen Fünfer?«

Lillebror holte ein Fünförestück aus der Hosentasche.

»Gib erst mal her«, sagte Karlsson.

Lillebror gab ihm den Fünfer. Karlsson hielt ihn ganz fest in der Hand und sah sehr pfiffig und zufrieden aus.

»Ich weiß, was für eine Medizin ich einnehmen kann«, sagte er.

»Was denn für eine?«, erkundigte sich Lillebror.

»Karlsson vom Dachs Kuckelimuck-Medizin. Die muss halb aus Bonbons und halb aus Schokolade sein und dann rührst du alles mit ein paar Kuchenkrümeln tüchtig zusammen. Tu das, dann kann ich jetzt sofort eine Dosis einnehmen«, sagte Karlsson. »Das ist gut gegen Fieber.«

»Das glaube ich nicht«, sagte Lillebror.

»Wollen wir wetten?«, fragte Karlsson. »Ich wette eine Tafel Schokolade, dass ich Recht habe.«

Lillebror überlegte, dass Mama vielleicht so etwas meinte, wenn sie sagte, man könnte durch ein vernünftiges Gespräch feststellen, wer Recht hätte.

»Wollen wir wetten?«, fragte Karlsson noch einmal.

»Na, dann los«, sagte Lillebror.

Er holte eine der beiden Tafeln Schokolade heraus, die er gekauft hatte, und legte sie auf die Hobelbank, damit man sehen konnte, was die Wette galt. Dann rührte er eine Medizin nach Karlssons Rezept zusammen. Er nahm saure Drops und Himbeerbonbons und gewöhnliche Bonbons und mischte sie in einer Tasse mit ebenso vielen Stückchen Schokolade und dann zerbrach er die Mandelkekse in kleine Krümel und streute sie darüber. So eine Medizin hatte Lillebror in seinem ganzen Leben nicht gesehen, aber sie sah gut aus und er wünschte fast, er selbst hätte ein bisschen Fieber, damit er sie probieren könnte.

Aber Karlsson saß im Bett und sperrte den Mund weit auf wie ein junger Vogel und Lillebror holte schleunigst einen Löffel herbei.

»Tu mir eine große Dosis in den Mund«, sagte Karlsson.

Und das tat Lillebror.

Dann saßen die beiden still da und warteten darauf, dass Karlssons Fieber sank. Nach einer halben Minute sagte Karlsson:

»Du hattest Recht. Es hat nicht geholfen gegen das Fieber. Gib mir eine Tafel Schokolade!«

»Bekommst *du* die Tafel Schokolade?«, fragte Lillebror verwundert. »Dabei hab *ich* doch gewonnen.«

»Wenn du gewonnen hast, dann ist es doch wohl nicht zu viel verlangt, wenn ich die Schokolade kriege«, sagte Karlsson. »Es muss doch eine Gerechtigkeit auf dieser Welt geben. Übrigens bist du ein garstiger kleiner Junge, sitzt da

und willst Schokolade haben, bloß weil *ich* Fieber habe.«
Widerstrebend reichte Lillebror Karlsson die Schokolade.
Karlsson schlug sogleich die Zähne hinein und sagte, während er kaute:
»Kein saures Gesicht, wenn ich bitten darf. Nächstes Mal gewinne *ich* und dann kriegst *du* die Tafel Schokolade.«
Er kaute eifrig weiter und als er auch das allerletzte Stückchen Schokolade gegessen hatte, legte er sich in die Kissen zurück und seufzte schwer.
»All die armen Kranken!«, sagte er. »Und ich Armer! Es ist klar, man könnte es mit einer doppelten Dosis von der Kuckelimuck-Medizin versuchen, aber ich glaube nicht eine Sekunde, dass sie hilft.«
»Doch, eine doppelte Dosis, glaub ich, hilft«, sagte Lillebror schnell. »Wollen wir wetten?«
Lillebror konnte wahrhaftig auch schlau sein. Er glaubte überhaupt nicht, dass Karlssons Fieber selbst durch eine dreifache Dosis Kuckelimuck-Medizin geheilt werden könnte, aber er wollte so gern eine Wette verlieren. Denn er hatte nur noch eine Tafel Schokolade und die würde er ja bekommen, wenn Karlsson die Wette gewann.
»Meinetwegen können wir gern wetten«, sagte Karlsson. »Rühr eine doppelte Dosis an! Bei Fieber darf man nichts unversucht lassen. Das Einzige , was wir tun können, ist: versuchen und abwarten.«
Lillebror rührte eine doppelte Dosis der Medizin an und trichterte sie Karlsson ein, der bereitwillig den Mund aufsperrte und sich's gefallen ließ. Dann saßen sie still da und warteten.

Nach einer halben Minute hüpfte Karlsson freudestrahlend aus dem Bett.

»Ein Wunder ist geschehen«, rief er. »Ich bin fieberfrei! Du hast wieder gewonnen. Her mit der Schokolade!«

Lillebror seufzte und gab ihm die letzte Tafel Schokolade. Karlsson guckte ihn ungehalten an.

»Solche Trotzköpfe wie du sollten niemals wetten«, sagte er. »Das müssen so Leute sein wie ich, die immer wie Sonnenschein rumlaufen, ob wir nun gewinnen oder verlieren.«

Es war eine Weile still, abgesehen von Karlssons Schmatzen, während er die Schokolade aß. Dann sagte er:

»Da du nun aber so ein gefräßiger kleiner Bengel bist, ist es wohl das Beste, wir teilen den Rest brüderlich. Hast du noch Bonbons übrig?«

Lillebror kramte in der Hosentasche.

»Drei«, sagte er und holte zwei Bonbons und einen Himbeerdrops hervor.

»Drei«, sagte Karlsson, »die kann man nicht teilen, das weiß jedes Kind.« Er nahm den Himbeerdrops aus Lillebrors ausgestreckter Hand und verschlang ihn hastig.

»Aber *jetzt* geht es«, sagte er.

Dann sah er mit hungrigen Augen auf die beiden Bonbons. Der eine war ein bisschen größer als der andere.

»Gutmütig und bescheiden wie ich bin, lasse ich dich zuerst wählen«, sagte Karlsson. »Aber du weißt ja wohl, wer zuerst wählen darf, muss den kleineren nehmen«, fuhr er fort und sah Lillebror streng an.

Lillebror überlegte einen Augenblick.

»Ich möchte, dass *du* zuerst wählst«, sagte er sehr erfinderisch.

»Na ja, wenn du so darauf bestehst«, sagte Karlsson und schnappte sich den größeren Bonbon, den er schnell in den Mund stopfte.

Lillebror guckte auf den kleinen Bonbon, der noch in seiner Hand lag.

»Na, nun hör mal, du hast doch gesagt, wer zuerst wählen darf, muss den kleineren nehmen...«

»Pass mal auf, du kleine Naschkatze«, sagte Karlsson. »Wenn *du* hättest zuerst wählen dürfen, welchen hättest du dann genommen?«

»Ich hätte den kleineren genommen, bestimmt«, sagte Lillebror ernsthaft.

»Was beschwerst du dich dann«, sagte Karlsson. »Den hast du ja jetzt auch bekommen!«

Lillebror überlegte von neuem, ob es so etwas war, was Mama mit »einem vernünftigen Gespräch« meinte.

Aber Lillebror hatte nie sehr lange schlechte Laune. Es war jedenfalls schön, dass Karlsson kein Fieber mehr hatte.

Das fand Karlsson auch.

»Ich werde an alle Doktoren schreiben und ihnen erzählen, was gegen Fieber hilft. Probiert die Kuckelimuck-Medizin von Karlsson vom Dach, werde ich schreiben. Die beste Medizin der Welt gegen Fieber!«

Lillebror hatte seinen Bonbon noch nicht aufgegessen. Der sah so lecker und gut und herrlich aus und er wollte ihn erst ein bisschen anschauen. Wenn man erst anfing ihn zu essen, war er ja bald weg.

Karlsson sah auch auf Lillebrors Bonbon. Eine ganze Weile sah er auf Lillebrors Bonbon, dann legte er den Kopf schief und sagte: »Wollen wir wetten, dass ich deinen Bonbon wegzaubern kann, ohne dass du es siehst?«

»Das kannst du nicht«, sagte Lillebror. »Nicht, wenn ich hier stehe und ihn in der Hand halte und die ganze Zeit draufschaue.«

»Wollen wir wetten?«, fragte Karlsson.

»Nein«, sagte Lillebror. »Ich weiß, dass ich gewinne, und dann kriegst du bloß den Bonbon...«

Lillebror hatte das Gefühl, dass diese Art des Wettens falsch war, denn so ging es nie zu, wenn er mit Birger oder Betty wettete.

»Aber wir können so wetten, wie es richtig ist, sodass der, der gewinnt, den Bonbon bekommt«, sagte Lillebror.

»Wie du willst, du gefräßiger kleiner Bengel«, sagte Karlsson. »Wir wetten, dass ich den Bonbon wegzaubern kann, ohne dass du es siehst.«

»Na los«, sagte Lillebror.

»Hokuspokus Fidibus«, sagte Karlsson und schnappte sich den Bonbon. »Hokuspokus Fidibus«, sagte er und stopfte ihn in den Mund.

»Halt!«, schrie Lillebror. »Ich hab doch gesehen, dass du ihn weggezaubert hast...«

»Hast du?«, sagte Karlsson und schluckte heftig. »Dann hast du *wieder* gewonnen. So einen Jungen hab ich wirklich noch nie gesehen! Gewinnt jede Wette!«

»Ja... aber... der Bonbon«, sagte Lillebror völlig verwirrt.

»Der, der gewinnt, sollte doch den Bonbon kriegen.«

»Richtig, das ist allerdings wahr«, sagte Karlsson.»Aber den Bonbon hab ich weggezaubert und ich wette, dass ich ihn nicht wieder hervorzaubern kann.«

Lillebror schwieg. Aber er dachte, sowie er Mama wieder sah, wollte er ihr sagen, dass vernünftige Gespräche kein bisschen halfen, wenn man feststellen wollte, wer Recht hatte.

Er steckte die Hände in seine leeren Hosentaschen. Und – war es zu glauben – da lag noch ein Bonbon, den er nicht bemerkt hatte! Ein großer, herrlicher Bonbon. Lillebror lachte.

»Ich wette, dass ich noch einen Bonbon habe. Und ich wette, dass ich ihn auf der Stelle aufesse«, sagte er und stopfte den Bonbon schnell in den Mund.

Karlsson setzte sich aufs Bett und maulte.

»Du solltest wie eine Mutter zu mir sein«, sagte er.»Und dann tust du nichts weiter als in dich reinstopfen, so viel du reinkriegst. Ich hab noch nie so einen gefräßigen kleinen Bengel gesehen.«

Er saß einen Augenblick schweigend da und sah noch finsterer aus.

»Übrigens hab ich noch kein Fünförestück dafür bekommen, dass der Wollschal kratzt«, sagte er.

»Ja, aber du hast ja gar keinen Wollschal umbekommen«, sagte Lillebror.

»Es gibt im ganzen Haus keinen Wollschal«, sagte Karlsson brummig.»Aber wenn es einen gegeben hätte, dann hätte ich ihn umgebunden und dann hätte er gekratzt und dann hätte ich fünf Öre bekommen.«

Er schaute Lillebror flehend an und seine Augen waren voller Tränen.

»Muss *ich* darunter leiden, dass es keinen Wollschal im Haus gibt? Findest du das richtig?«

Das fand Lillebror nicht richtig. Und dann gab er Karlsson vom Dach seinen letzten Fünfer.

Karlsson macht Streiche

J etzt fühle ich mich zu einem kleinen Schabernack aufgelegt«, sagte Karlsson nach einer Weile. »Wir machen einen Spaziergang über die Dächer hier herum. Dann fällt uns
schon was ein.«

Das wollte Lillebror gern. Er nahm Karlsson bei der Hand
und sie zogen zusammen zur Tür hinaus und aufs Dach. Es
hatte jetzt angefangen zu dämmern und alles war wunderschön. Die Luft war so blau, wie sie immer im Frühling ist,
alle Häuser sahen geheimnisvoll aus, wie Häuser in der
Dämmerung aussehen, der Park, in dem Lillebror immer
spielte, leuchtete seltsam grün da unten und von der großen
Balsampappel auf Lillebrors Hof roch es so herrlich bis
zum Dach hinauf.

Es war ein wunderbarer Abend für Dachspaziergänge. Alle
Fenster standen offen und man konnte viele verschiedene
Geräusche und Stimmen hören. Menschen, die sprachen,
und Kinder, die lachten, und Kinder, die weinten. Und aus
einer Küche in der Nähe hörte man Geschirr klappern, das
gerade abgewaschen wurde, und ein Hund jaulte und irgendwo klimperte jemand auf einem Klavier. Von der
Straße unten hörte man das Geknatter eines Motorrades
und als das verhallte, kam ein Ackergaul mit einem Wagen

angetrappelt und jeder Tritt war bis zum Dach hinauf zu hören.

»Wenn die Leute wüssten, wie viel Spaß es macht auf dem Dach herumzugehen, dann würde nicht einer unten auf der Straße bleiben«, sagte Lillebror. »Ujj, macht das einen Spaß!«

»Ja, und dann ist es auch noch aufregend«, sagte Karlsson. »Denn man kann so leicht abstürzen. Ich zeig dir ein paar Stellen, wo man jedes Mal *fast* abstürzt.«

Die Häuser waren so nah aneinander gebaut, dass man von einem Dach aufs andere gelangen konnte. Es gab hier eine Menge kleiner, sonderbarer Ausbauten und Dachstuben und Schornsteine und Winkel und Ecken, sodass es nie ein-

tönig wurde. Und es war wirklich aufregend, genau wie Karlsson gesagt hatte, eben weil man hin und wieder *fast* abstürzte. An einer Stelle war ein ziemlich breiter Abstand zwischen zwei Häusern, das war genau so eine Stelle, wo Lillebror beinahe abstürzte. Aber Karlsson kriegte ihn in letzter Minute zu packen, als Lillebror schon mit dem einen Bein über die Dachrinne war.

»Toll, was?«, sagte Karlsson und zog Lillebror zurück. »Genau so was meinte ich. Mach's noch mal!«

Aber Lillebror wollte es nicht noch mal machen. Ihm war es ein bisschen zu viel »beinahe«. Es gab mehrere Stellen, wo man sich mit Armen und Beinen anklammern musste, um nicht hinunterzufallen, und Karlsson wollte, dass Lillebror so viel Spaß wie möglich hätte – daher nahm er nicht immer den leichtesten Weg.

»Ich finde, wir sollten ein bisschen Streiche machen«, sagte Karlsson. »Abends klettere ich immer auf dem Dach herum und spiele den Leuten, die hier in all diesen Dachstuben wohnen, kleine Streiche.«

»Wie machst du das?«, fragte Lillebror.

»Ich spiele den verschiedenen Leuten verschiedene Streiche, natürlich. Niemals denselben Streich zweimal. Der beste Streichemacher der Welt – rat mal, wer das ist!«

Da begann ein kleines Kind ganz in der Nähe zu schreien. Lillebror hatte dies Kindergeschrei schon vorher gehört, aber dann war es einen Augenblick still gewesen. Das Kind hatte sich wohl ein bisschen ausgeruht. Aber jetzt fing es wieder an und das Weinen kam aus der nächsten Dachstube. Es hörte sich so kläglich und verlassen an.

»Armes Kind«, sagte Lillebror. »Es hat vielleicht Bauch-
weh.«

»Das werden wir bald heraushaben«, sagte Karlsson.
»Komm mit!«

Sie krochen die Regenrinne entlang, bis sie genau unter dem
Dachfenster angekommen waren. Karlsson reckte vorsichtig den Kopf und sah hinein.

»Sehr einsames kleines Kind«, sagte er. »Mama und Papa
sind wohl weg und treiben sich herum, kann ich mir denken.«

Das Kind schrie jetzt noch kläglicher.

»Ruhig, ganz ruhig«, sagte Karlsson und wälzte sich über das Fenstersims. »Hier kommt Karlsson vom Dach, der beste Kinderaufpasser der Welt.«

Lillebror wollte nicht allein draußen bleiben. Er robbte hinter Karlsson her über das Fenstersims, wenn er sich auch ängstlich fragte, was geschehen würde, wenn die Eltern des Kindes plötzlich nach Hause kamen.

Aber Karlsson hatte kein bisschen Angst. Er trat an das Bett, in dem das Kind lag, und kraulte es mit einem kleinen dicken Zeigefinger unterm Kinn.

»Buschi-buschi-buschi«, sagte er schelmisch. Dann wandte er sich zu Lillebror um. »So redet man mit kleinen Kindern! Das gefällt ihnen.«

Das Baby hörte vor lauter Verwunderung auf zu schreien, aber sobald es sich ein wenig gefasst hatte, fing es von neuem an.

»Buschi-buschi-buschi – und dann macht man so«, sagte Karlsson.

Er riss das Kind aus dem Bett und schleuderte es mehrmals hintereinander in die Luft. Vielleicht gefiel das dem Baby, denn es lachte plötzlich ein kleines, zahnloses Lächeln.

Karlsson war stolz.

»Keine Kunst, Kindern eine Freude zu machen«, sagte er. »Der beste Kinderaufpasser der We...«

Weiter kam er nicht, denn das Kind begann von neuem zu schreien.

»Buschi-buschi-buschi!«, brüllte Karlsson wütend und schleuderte das kleine Kind noch heftiger als vorher in die

Höhe. »Buschi-buschi-buschi hab ich gesagt und das mein ich auch!«

Das Baby schrie aus vollem Halse und Lillebror streckte die Arme nach ihm aus.

»Komm, darf ich es mal nehmen?«, sagte er.

Er mochte kleine Kinder furchtbar gern und er hatte mit Mama und Papa ziemlich viel hin und her beraten, ob er nicht eine kleine Schwester bekommen konnte, wenn sie ihm nun durchaus keinen Hund schenken wollten. Er nahm Karlsson das kleine Bündel ab und hielt es zärtlich in seinen Armen.

»Sei lieb und hör auf zu schreien«, sagte er.

Das Kind verstummte und guckte ihn mit einem Paar ganz
blanker, ernsthafter Augen an. Dann lachte es von neuem
sein zahnloses Lächeln und lallte leise.

»Das kommt von meinem Buschi-buschi-buschi«, sagte
Karlsson. »So was schlägt nie fehl, das hab ich tausendmal
ausprobiert.«

»Ich möchte wissen, wie das Kind heißt«, sagte Lillebror
und strich mit dem Zeigefinger über die weiche kleine
Wange.

»Goldsofie«, sagte Karlsson. »So heißen sie meistens.«

Lillebror hatte noch nie von einem Kind gehört, das Goldsofie hieß, aber er dachte, der beste Kinderaufpasser der

Welt wisse wohl besser darüber Bescheid, wie Kinder im Allgemeinen heißen.

»Kleine Goldsofie«, sagte Lillebror, »ich glaube, du hast Hunger.«

Denn Goldsofie hatte seinen Zeigefinger gepackt und wollte daran lutschen.

»Hat Goldsofie Hunger? Nun, hier stehen Wurst und Kartoffeln«, sagte Karlsson mit einem Blick auf die Kochnische. »Kein Kind braucht zu verhungern, solange Karlsson Wurst und Kartoffeln ranschleppen kann.«

Lillebror glaubte nicht, dass Goldsofie Wurst und Kartoffeln essen konnte.

»So kleine Kinder bekommen sicher Milch«, sagte er.

»Denkst du, der beste Kinderaufpasser der Welt wüsste nicht, was Kinder bekommen und was nicht?«, fragte Karlsson. »Aber von mir aus – ich kann wegfliegen und eine Kuh holen.«

Er warf einen wütenden Blick auf das Fenster. »Wenn es auch schwer sein wird, das Kuhgestell durch dies kleine, schmale Fenster zu kriegen.«

Goldsofie suchte verzweifelt nach Lillebrors Zeigefinger und weinte kläglich. Es klang wirklich so, als habe sie Hunger.

Lillebror sah in der Kochnische nach, aber er fand keine Milch. Dort lagen nur drei kalte Wurstscheiben auf einem Teller.

»Ruhig, ganz ruhig«, sagte Karlsson. »Mir fällt eben ein, wo es Milch gibt. Ich selber trinke dort manchmal einen Schluck. Heißa hopsa, ich komm gleich wieder.«

Dann drehte Karlsson an dem Knopf, den er auf dem Bauch hatte, und brummte durch das Fenster davon, bevor Lillebror auch nur blinzeln konnte.

Lillebror bekam fürchterliche Angst. Wenn Karlsson nun stundenlang wegblieb, wie es seine Art war! Und wenn die Eltern des Kindes dann nach Hause kamen und Lillebror mit ihrer Goldsofie im Arm vorfanden!

Aber Lillebror brauchte nicht lange unruhig zu sein. Diesmal hatte Karlsson sich beeilt. Stolz wie ein Hahn brummte er durchs Fenster herein und in der Hand hielt er so eine Nuckelflasche, aus der kleine Kinder trinken.

»Wo hast du denn die her?«, fragte Lillebror verblüfft.

»Von meiner gewöhnlichen Milchstelle«, sagte Karlsson. »Einem Balkon drüben auf Östermalm.«

»Hast du sie *geklaut?*«, fragte Lillebror ganz erschrocken.

»Ich habe sie geliehen«, sagte Karlsson.

»Geliehen – wann willst du sie wieder zurückgeben?«, fragte Lillebror.

»Nie«, sagte Karlsson.

Lillebror sah ihn streng an, aber Karlsson wedelte mit der Hand und sagte:

»Eine kleine Flasche Milch – das stört keinen großen Geist! Die, von denen ich sie geliehen habe, die haben Drillinge und die stellen haufenweise Flaschen in Eiseimern auf den Balkon raus und die mögen es gern, wenn ich mir ihre Milch für Goldsofie von ihnen leihe.«

Goldsofie streckte ihre kleinen Hände nach der Flasche aus und wimmerte vor Hunger.

»Ich mache die Milch ein wenig warm«, sagte Lillebror

schnell und überließ Karlsson das Kind und Karlsson schrie:»Buschi-buschi-buschi!«, und schleuderte Goldsofie zur Decke empor, während Lillebror in die Kochnische ging und die Milch wärmte.

Und eine Weile später lag Goldsofie in ihrem Bett und schlief wie ein kleiner Engel. Sie war satt und zufrieden und Lillebror hatte sie zugedeckt und Karlsson hatte sie mit seinem Zeigefinger gepikst und »buschi-buschi-buschi« geschrien, aber trotz allem schlief Goldsofie ein, weil sie satt und müde war.

»Jetzt machen wir einen kleinen Streich, bevor wir weggehen«, sagte Karlsson.

Er ging in die Kochnische und holte die kalten Wurstscheiben. Lillebror sah ihm mit großen Augen zu.

»Hier sollst du mal einen Spaß erleben«, sagte Karlsson und hängte eine Wurstscheibe auf den Griff der Küchentür.

»Nummer eins«, sagte er und nickte befriedigt.

Dann ging er mit raschen Schritten zum Schreibtisch. Hier stand eine hübsche weiße Taube aus Porzellan und ehe Lillebror es sich versah, hatte die weiße Taube eine Wurstscheibe im Schnabel.

»Nummer zwei«, sagte Karlsson.»Und Nummer drei bekommt Goldsofie.«

Er steckte die Wurstscheibe auf ein Hölzchen und gab es der schlafenden Goldsofie in die Hand. Es sah wirklich lustig aus. Man hätte fast meinen können, Goldsofie hätte sich die Wurstscheibe selbst geholt und wäre darüber eingeschlafen. Aber Lillebror sagte doch:

»Nein, bitte lass das.«

»Ruhig, ganz ruhig«, sagte Karlsson. »Da werden ihre Eltern es sich abgewöhnen, sich abends rumzutreiben.«

»Wieso denn?«, fragte Lillebror.

»Ein Kind, das selber aufstehen und sich eine Scheibe Wurst holen kann, das wagen sie nicht mehr allein zu lassen. Wer weiß, was es sich das nächste Mal holt – am Ende Papas Sonntagsbier?«

Er steckte das Hölzchen ein wenig fester in Goldsofies kleine Hand.

»Ruhig, ganz ruhig«, sagte er. »Ich weiß schon, was ich tue, denn ich bin der beste Kinderaufpasser der Welt.«

In diesem Augenblick hörte Lillebror Schritte auf der Treppe draußen und er zuckte ordentlich zusammen vor Schreck.

»Oh, jetzt kommen sie«, flüsterte er.

»Ruhig, ganz ruhig«, sagte Karlsson und dann stürzten sie beide zum Fenster.

Lillebror hörte, wie ein Schlüssel ins Schloss gesteckt wurde, und er glaubte, jetzt sei keine Hoffnung mehr, aber siehe da, es gelang ihm gerade noch, sich hinter Karlsson über das Fenstersims zu wälzen. Gleich danach hörte er, wie die Tür aufging und eine Stimme sagte:

»Mamas kleine Susanne – sie schläft und schläft.«

»Ja, sie schläft und schläft«, sagte eine andere Stimme.

Aber dann ertönte ein Schrei. Und Lillebror wusste, jetzt hatten Goldsofies Mama und Papa die Wurst entdeckt.

Er wartete nicht darauf, wie es weiterging, sondern rannte schleunigst hinter dem besten Kinderaufpasser der Welt her, der sich gerade hinter einem Schornstein verkroch.

»Willst du zwei Halunken sehen?«, fragte Karlsson, als sie sich etwas ausgeruht hatten. »Ich habe zwei prima Halunken in einer anderen Dachkammer hier drüben.«

Es hörte sich fast so an, als ob es Karlssons eigene Halunken seien. Das waren sie nun nicht, aber Lillebror wollte sie jedenfalls gern sehen.

Aus der Dachkammer der Halunken hörte man Reden und Gelächter und Gejohle.

»Jubel und Trubel«, sagte Karlsson. »Komm, wir sehen nach, was die da so Lustiges vorhaben.«

Sie schlichen an der Regenrinne entlang und Karlsson reckte den Kopf und spähte hinein. Vor dem Fenster hingen Gardinen, aber es war doch einen Spalt offen, durch den sie hindurchschauen konnten.

»Die Strolche haben Besuch«, flüsterte Karlsson.
Lillebror spähte auch. Drinnen saßen zwei, die wohl die
Halunken sein mochten, und außerdem ein netter, kleiner,
gutmütiger Mann, der aussah, als ob er vom Lande käme,
wo die Großmutter wohnte.
»Weißt du, was ich glaube?«, flüsterte Karlsson. »Ich glaube, diese Halunken sind dabei, ganz allein ihre Streiche zu
machen. Aber das sollen sie mal hübsch bleiben lassen.«
Er guckte noch einmal hinein.
»Ich möchte meinen Kopf wetten, dass sie dabei sind, diesem armen Schlucker mit dem roten Schlips einen Streich
zu spielen«, flüsterte er Lillebror zu.
Die Halunken und der mit dem roten Schlips saßen dicht
am Fenster um einen kleinen Tisch herum. Sie aßen und
tranken und die Halunken klopften dem mit dem roten
Schlips herzlich auf die Schultern und sagten: »Wie nett,
dass wir dich kennen gelernt haben, lieber Oskar.«
»Für mich ist es auch nett«, sagte Oskar. »Wenn man so in
die Stadt kommt, dann ist es von Wert, dass man sich gute
Freunde zulegt, bei denen man sicher ist. Sonst weiß man
nicht, was einem alles so passieren kann. Man kann auch
Betrügern in die Hände fallen.«
Die Halunken nickten.
»Ach ja, man kann Betrügern in die Hände fallen«, sagte der
eine. »Was für ein Glück, dass du Fille und mich getroffen
hast.«
»Ja, wenn du nicht Rulle und mich getroffen hättest, dann
hätte es dir ganz schön schlimm ergehen können«, sagte
der andere.

»Aber jetzt musst du essen und trinken und dir's wohl sein lassen«, sagte der mit dem Namen Fille und dann klopfte er Oskar wieder auf die Schulter.

Allerdings tat er danach etwas, was Lillebror ganz stutzig machte. Er steckte gleichsam zufällig seine Hand in die Hintertasche von Oskars Hose und zog eine Brieftasche heraus und die stopfte er in die Hintertasche seiner eigenen Hose. Und Oskar merkte nichts. Vielleicht kam es daher, weil Rulle ihn in dem Augenblick gerade umarmte und streichelte. Als Rulle aber genug gestreichelt hatte und seine Hand zurückzog, geschah es, dass Oskars Uhr mitging. Die stopfte Rulle in die Hintertasche seiner Hose. Und Oskar merkte nichts.

Aber nun steckte Karlsson vom Dach vorsichtig eine kleine dicke Hand durch den Gardinenspalt und zog die Brieftasche aus der Hintertasche von Filles Hose und Fille merkte nichts. Und dann steckte Karlsson eine kleine dicke Hand hindurch und holte die Uhr aus der Hintertasche von Rulles Hose und Rulle merkte nichts.

Aber nach einer kleinen Weile, als Rulle und Fille und Oskar noch mehr gegessen und getrunken hatten, steckte Fille die Hand in die Hintertasche und merkte, dass die Brieftasche weg war. Und da warf er Rulle einen bitterbösen Blick zu und sagte:

»Du, Rulle, komm mit raus auf den Flur, ich hab mit dir zu reden!«

In diesem Augenblick fühlte Rulle in seiner Hintertasche nach und merkte, dass die Uhr weg war. Und er warf Fille einen bitterbösen Blick zu und sagte:

»Das trifft sich gut, denn ich hab auch mit dir zu reden!«
Da gingen Fille und Rulle auf den Treppenflur hinaus und
der arme Oskar blieb allein zurück. Das schien er ziemlich
langweilig zu finden, denn nach einer Weile stand er auf und
ging ebenfalls auf den Flur hinaus um zu sehen, wo Fille und
Rulle geblieben waren. Da kletterte Karlsson schnell über
das Fenstersims und legte Oskars Brieftasche in die Suppenschüssel. Aber Fille und Rulle und Oskar hatten alle Suppe
aufgegessen, sodass die Brieftasche nicht nass wurde. Und
Oskars Uhr befestigte Karlsson an der Deckenlampe und
hier hing sie und baumelte und es war das Erste, was Oskar
und Rulle und Fille sahen, als sie wieder vom Flur hereinkamen. Aber Karlsson sahen sie nicht, denn er war unter
das Tischtuch gekrochen, das ganz bis auf die Erde herab-
hing. Und zu diesem Zeitpunkt saß auch Lillebror unter
dem Tisch, denn er wollte da sein, wo Karlsson war, wenn
es auch unheimlich war.
»Guckt mal, da hängt meine Uhr«, sagte Oskar. »Wie in
aller Welt ist die da hingekommen?«
Und er holte die Uhr herunter und steckte sie in die Westen-
tasche.
»Und hier liegt doch wahrhaftig meine Brieftasche«, sagte
er, als er in die Suppenschüssel guckte. »Komisch!«
Rulle und Fille schauten Oskar bewundernd an, als er bei-
des an sich nahm, und Fille sagte:
»Ihr seid gar nicht mal so auf den Kopf gefallen bei euch da
auf dem Lande, scheint mir.«
Danach setzten sich Rulle und Fille und Oskar wieder an
den Tisch.

»Lieber Oskar, du musst noch ein bisschen mehr essen und trinken«, sagte Fille.
Und Oskar und Rulle und Fille aßen und tranken und klopften sich gegenseitig auf die Schultern. Und nach einer Weile steckte Fille seine Hand unter das Tischtuch und legte Oskars Brieftasche vorsichtig auf den Fußboden. Er meinte sicher, sie wäre dort besser aufgehoben als in seiner Hosentasche. Aber das war sie nicht, denn Karlsson ergriff die Brieftasche sofort und reichte sie Rulle hinauf und Rulle nahm sie und sagte:
»Fille, ich habe dir Unrecht getan, du bist ein Ehrenmann.«
Nach einer Weile steckte Rulle seine Hand unter das Tischtuch und legte vorsichtig Oskars Uhr auf den Fußboden. Und Karlsson nahm die Uhr und kratzte Fille ein ganz klein bisschen am Bein und reichte ihm Oskars Uhr und Fille sagte:
»Es gibt keinen besseren Kumpel als dich, Rulle.«
Aber nach einer Weile sagte Oskar:
»Wo ist meine Brieftasche? Und wo ist meine Uhr?«
Und da kamen blitzschnell die Brieftasche wie auch die Uhr unter das Tischtuch, denn Fille traute sich nicht, die Uhr, und Rulle traute sich nicht, die Brieftasche bei sich zu behalten, falls Oskar anfangen sollte Krach zu machen. Und Oskar fing auch richtig an, Krach zu machen, mächtigen Krach, und er schrie, er wollte jetzt seine Uhr und seine Brieftasche wiederhaben. Aber da sagte Fille:
»Wir können doch nicht wissen, wo du deine alte Brieftasche hingeschmissen hast!«
Und Rulle sagte:

»Wir haben deine alte Uhr nicht gesehen. Pass doch auf deine Sachen auf!«

Aber da nahm Karlsson erst die Brieftasche und dann die Uhr und steckte sie Oskar zu und Oskar stopfte beide in seine Taschen und sagte:

»Vielen Dank, lieber Fille, vielen Dank, Rulle. Aber ein andermal lasst solche Späße lieber bleiben.«

Darauf trat Karlsson Fille gegen das Bein, sosehr er konnte, und Fille schrie:»Das werd ich dir heimzahlen, Rulle!«

Jetzt trat Karlsson Rulle gegen das Bein, sosehr er konnte, und Rulle schrie:»Bist du nicht bei Verstand, Fille! Warum trittst du mich?«

Und nun gingen Rulle und Fille aufeinander los und fingen an, sich zu prügeln, sodass alle Teller vom Tisch flogen und kaputtgingen und Oskar Angst bekam und sich mit seiner Brieftasche und seiner Uhr aus dem Staub machte und nicht mehr wiederkam.

Lillebror bekam auch Angst, aber konnte sich nicht aus dem Staub machen, er musste still und stumm unter dem Tischtuch sitzen bleiben.

Fille war stärker als Rulle und er trieb Rulle in den Flur hinaus und folgte selber nach, um ihn noch ärger zu verprügeln. Da krochen Karlsson und Lillebror unter dem Tischtuch hervor und sahen alle Teller kaputt auf dem Fußboden liegen und Karlsson sagte:

»Weshalb soll die Suppenschüssel heil bleiben, wenn alle Teller kaputt sind? Sie würde sich bloß einsam fühlen, die arme Suppenschüssel.«

Und so schmiss er die Suppenschüssel mit einem Knall auf den Fußboden und dann stürzten er und Lillebror zum Fenster und kletterten hinaus, so schnell sie konnten. Und dann hörte Lillebror, wie Fille und Rulle ins Zimmer zurückkamen, und Fille sagte:

»Warum in aller Welt hast du ihm die Uhr und die Brieftasche zurückgegeben, du Schafskopf?«

»Bist du nicht ganz bei Trost?«, sagte Rulle. »Das bist *du* doch gewesen.«

Da lachte Karlsson, dass sein Bauch wackelte, und dann sagte er: »Jetzt will ich heute keinen Streich mehr machen.« Lillebror hatte auch das Gefühl, dass er genug vom Streichemachen habe.

Es war nun ziemlich dunkel und Lillebror und Karlsson nahmen sich bei der Hand und wanderten über das Dach zu Karlssons Haus zurück, das oben auf Lillebrors Haus stand. Als sie dort ankamen, hörten sie ein Feuerwehrauto, das mit lautem Getute näher kam.

»Pass auf, es brennt irgendwo«, sagte Lillebror. »Die Feuerwehr ist da.«

»Wenn es nun in diesem Haus ist?«, sagte Karlsson hoffnungsvoll. »Dann brauchen sie mir nur Bescheid zu sagen. Ich kann ihnen helfen, denn ich bin der beste Feuerlöscher der Welt.«

Sie sahen, dass das Feuerwehrauto auf der Straße direkt unter ihnen anhielt und eine Menge Menschen sich darum versammelten. Aber Feuer konnten sie nirgends entdecken. Dagegen sahen sie plötzlich, wie eine Leiter sich auf das Dach zu bewegte, so eine lange Ausziehleiter, wie die Feuerwehr sie hat.

Da begann Lillebror zu überlegen.

»Ob die... ob die... etwa kommen um mich zu holen?«, sagte er.

Denn ihm fiel plötzlich der Zettel ein, den er unten in

seinem Zimmer hinterlassen hatte. Und es war schon ziemlich spät geworden.

»Wieso denn bloß, um Himmels willen?«, fragte Karlsson.
»Kein Mensch kann etwas dagegen haben, dass du ein bisschen oben auf dem Dach bist!«

»Doch, meine Mama kann«, sagte Lillebror. »Sie hat so viel Nerven, dass sie sich immer aufregt.«

Mama tat ihm so Leid, wenn er sich das vorstellte, und er hatte Sehnsucht nach ihr.

»Man könnte natürlich der Feuerwehr einen kleinen Streich spielen«, schlug Karlsson vor.

Aber Lillebror wollte keine Streiche mehr machen. Er stand still und wartete auf den Feuerwehrmann, der die Leiter heraufgeklettert kam.

»Na ja«, sagte Karlsson, »für mich ist es wohl auch Zeit, dass ich reingehe und ins Bett komme. Wir haben es zwar langsam angehen lassen und nicht so viele Streiche gemacht, aber ich hatte heute Morgen auch mindestens dreißig, vierzig Grad Fieber, das dürfen wir nicht vergessen!«

Und dann sprang er über das Dach davon.

»Heißa hopsa, Lillebror!«, schrie er.

»Heißa hopsa, Karlsson«, sagte Lillebror.

Aber er guckte die ganze Zeit zu dem Feuerwehrmann, der immer näher kam.

»Du, Lillebror«, rief Karlsson, bevor er hinter dem Schornstein verschwand. »Erzähl dem Feuerwehrmann nichts davon, dass ich hier bin. Denn ich bin der beste Feuerlöscher der Welt und dann würde man ewig nach mir schreien, sobald irgendwo Feuer ausgebrochen ist.«

Der Feuerwehrmann war jetzt fast oben.

»Bleib still stehen, wo du bist«, rief er Lillebror zu. »Rühr dich nicht vom Fleck, ich komme und hole dich.«

Das war nett von ihm, fand Lillebror, aber ziemlich unnötig. Lillebror war ja den ganzen Abend auf dem Dach herumgetrabt und -geklettert. Ein paar Schritte konnte er schon noch gehen.

»Hat dich meine Mama hier heraufgeschickt?«, fragte er, als er im Arm des Feuerwehrmannes auf dem Weg nach unten war.

»Ja, wer denn sonst?«, sagte der Feuerwehrmann. »Aber sag mal, mir kam es einen Augenblick fast so vor, als wären da oben auf dem Dach *zwei* kleine Jungen gewesen...?«

Lillebror erinnerte sich daran, was Karlsson gesagt hatte, und er antwortete ernsthaft:

»Nein, ein anderer *Junge* war außer mir nicht da oben.«

Mama hatte wirklich solche Nerven, dass sie sich immer aufregte. Sie und Papa und Birger und Betty und eine Menge anderer Menschen standen unten auf der Straße und nahmen Lillebror in Empfang. Und Mama warf sich über ihn und umarmte ihn und lachte und weinte abwechselnd. Und Papa trug ihn bis in die Wohnung hinauf und hielt ihn die ganze Zeit fest an sich gedrückt. Und Birger sagte:

»Du kannst einen wirklich zu Tode erschrecken, Lillebror.«

Und Betty weinte auch und sagte:

»So was darfst du nie wieder tun, merk dir das.«

Und als Lillebror etwas später in seinem Bett lag, versammelten sie sich alle um ihn, ganz so, als habe er Geburtstag. Aber Papa sagte sehr ernst:

»Konntest du dir nicht denken, dass wir uns Sorgen machen? Konntest du dir nicht denken, dass Mama weinen und traurig sein würde?«

Lillebror wand und drehte sich in seinem Bett.

»Aber doch nicht *solche* Sorgen«, murmelte er.

Mama umarmte ihn fest und sagte:

»Stell dir vor, wenn du heruntergefallen wärst! Stell dir vor, wenn wir dich verloren hätten!«

»Wärt ihr dann sehr traurig gewesen?«, fragte Lillebror hoffnungsvoll.

»Ja, was denkst du denn?«, sagte Mama. »Wir wollen dich um keinen Preis der Welt verlieren, das weißt du doch.«

»Auch nicht um hunderttausend Millionen Kronen?«, fragte Lillebror.

»Nein, nicht um hunderttausend Millionen Kronen.«

»Bin ich so viel wert?«, fragte Lillebror erstaunt.

»Aber gewiss doch«, sagte Mama und drückte ihn noch einmal.

Lillebror überlegte. Hunderttausend Millionen Kronen – was für eine unheimliche Menge Geld. Konnte es möglich sein, dass er so viel wert war? Wo man für fünfzig Kronen einen jungen Hund, einen richtig guten Hund bekommen konnte?

»Du, Papa«, sagte Lillebror, als er fertig überlegt hatte. »Wenn ich hunderttausend Millionen Kronen wert bin – dann könnte ich doch fünfzig Kronen in bar bekommen und mir einen kleinen Hund kaufen?«

Karlsson spielt Gespenst

Erst am nächsten Tag beim Abendessen fingen sie an Lillebror auszufragen, wie er auf das Dach hatte hinaufkommen können.

»Bist du durch die Bodenluke hinausgestiegen?«, fragte Mama.

»Nein, ich bin mit Karlsson vom Dach hinauf*geflogen*«, sagte Lillebror.

Mama und Papa schauten sich an.

»Nein, das geht nun aber nicht so weiter«, sagte Mama. »Dieser Karlsson vom Dach macht mich noch verrückt.«

»Lillebror, es *gibt* keinen Karlsson vom Dach«, sagte Papa.

»Den gibt es nicht?«, sagte Lillebror. »Gestern gab es ihn aber noch.«

Mama schüttelte den Kopf.

»Es ist gut, dass die Schule bald zu Ende ist und du zu Großmutter fahren kannst«, sagte sie. »Dorthin kommt Karlsson hoffentlich nicht mit.«

Das war nun allerdings eine Sorge, die Lillebror vergessen hatte. Er sollte den Sommer über zur Großmutter fahren und Karlsson zwei Monate lang nicht sehen. Nicht, dass es ihm bei Großmutter nicht gefiel, da hatte er immer viel Spaß – aber ach, wie würde er Karlsson vermissen! Und wenn Karlsson nun nicht mehr auf dem Dach wohnte, wenn Lillebror zurückkam?

Die Ellbogen auf den Tisch und den Kopf in die Hände gestützt, saß er da und versuchte sich auszumalen, wie das Leben ohne Karlsson werden würde.

»Nicht die Ellbogen auf den Tisch stützen, das weißt du doch«, sagte Betty.

»Das geht dich gar nichts an«, sagte Lillebror.

»Nicht die Ellbogen auf den Tisch stützen, Lillebror«, sagte Mama. »Möchtest du noch ein bisschen Blumenkohl?«

»Nee, lieber tot sein«, sagte Lillebror.

»Pfui, so was sagt man nicht«, sagte Papa. »Man sagt ›nein, danke‹.«

War das nun eine Art, mit einem Hunderttausend-Millionen-Jungen herumzukommandieren?, dachte Lillebror. Aber das sagte er nicht. Stattdessen sagte er:

»Wenn ich sage ›lieber tot sein‹, dann müsst ihr doch verstehen, dass ich ›nein, danke‹ meine.«

»Aber so sagt ein Gentleman nicht«, sagte Papa beharrlich. »Und du möchtest doch sicher ein Gentleman sein, nicht wahr, Lillebror?«

»Nee, ich möchte lieber so sein wie du, Papa«, sagte Lillebror.

Mama und Birger und Betty lachten. Lillebror wusste zwar nicht, weshalb, aber es kam ihm so vor, als lachten sie über seinen Papa, und das gefiel ihm nicht.

»Ich will so sein wie du, Papa, genau so 'n netter wie du«, sagte er und sah seinen Vater zärtlich an.

»Danke, mein Junge«, sagte Papa. »Wie war das nun,

möchtest du wirklich nicht noch mehr Blumenkohl haben?«

»Nee, lieber tot sein«, sagte Lillebror.

»Aber er ist gesund«, sagte Mama.

»Das dachte ich mir schon«, sagte Lillebror. »Je weniger man ein Essen mag, desto gesünder ist es. Warum stopfen sie alle diese Vitamine in Sachen, die schlecht schmecken? Das möchte ich wirklich mal wissen!«

»Ja, ist das nicht komisch?«, sagte Birger. »Du findest sicher, die sollten sie stattdessen lieber in Bonbons stecken oder in Kaugummi?«

»Das ist das Vernünftigste, was du seit langer Zeit gesagt hast«, sagte Lillebror.

Nach dem Essen ging er in sein Zimmer. Er hoffte von ganzem Herzen, dass Karlsson kommen möge. Bald musste Lillebror ja verreisen und er wollte Karlsson vorher so oft wie möglich treffen.

Das hatte Karlsson vielleicht gefühlt, denn er kam angeflogen, sobald Lillebror die Nase aus dem Fenster steckte.

»Hast du heute kein Fieber?«, fragte Lillebror.

»Fieber – ich?«, sagte Karlsson. »Ich hab nie Fieber gehabt. Das war nur Einbildung.«

»Hast du dir nur eingebildet, dass du Fieber hattest?«, sagte Lillebror verdutzt.

»Nee, nee, aber ich hab *dir* eingebildet, dass ich welches hätte«, sagte Karlsson und lachte zufrieden. »Der beste Streichemacher der Welt – rat mal, wer das ist!«

Karlsson verhielt sich nicht eine Sekunde still. Während er

redete, wirbelte er die ganze Zeit im Zimmer herum und
zupfte neugierig an allen Sachen, öffnete so viele Schränke
und Schubfächer, wie er konnte, und untersuchte alles mit
größtem Interesse.

»Nein, heute hab ich kein Fieber«, sagte er. »Heute bin ich
kolossal obenauf und zu ein bisschen Spaß aufgelegt.«
Lillebror war auch zu ein bisschen Spaß aufgelegt. Aber vor
allen Dingen wollte er, dass Mama und Papa und Birger und
Betty Karlsson sehen sollten, damit endlich das Gemeckere
aufhörte, dass es Karlsson nicht gäbe.

»Warte einen Augenblick«, sagte er schnell. »Ich komm sofort zurück.«

Und dann stürzte er davon, ins Wohnzimmer hinüber. Birger und Betty waren gerade weggegangen, das war ärgerlich, aber Mama und Papa saßen jedenfalls da und Lillebror sagte eifrig:

»Mama und Papa, könnt ihr mal jetzt gleich mit in mein Zimmer rüberkommen?«

Er wagte nicht Karlsson zu erwähnen, es war besser, sie sahen ihn ohne vorherige Ankündigung.

»Willst du nicht lieber hier bleiben und bei uns sitzen?«, fragte Mama. Aber Lillebror zerrte sie am Ärmel.

»Nein, ihr sollt zu mir rüberkommen und euch was ansehen.«

Nach ein bisschen Überredung gingen sie beide mit und Lillebror öffnete froh und glücklich die Tür zu seinem Zimmer. Jetzt endlich sollten sie ihn sehen!

Er hätte weinen können, so enttäuscht war er. Das Zimmer war leer – genau wie das erste Mal, als er Karlsson zeigen wollte.

»Was sollten wir uns denn ansehen?«, fragte Papa.

»Ach, nichts Besonderes«, murmelte Lillebror.

Zum Glück klingelte im selben Augenblick das Telefon, sodass Lillebror keine weiteren Erklärungen abzugeben brauchte. Papa ging hinaus um abzunehmen. Und Mama hatte einen Topfkuchen im Ofen, nach dem sie sehen musste. Lillebror war allein. Er setzte sich ans Fenster, er war richtig wütend auf Karlsson und beschloss ihm die Wahrheit ins Gesicht zu sagen, wenn er angeflogen käme.

Aber es kam niemand angeflogen. Stattdessen ging die Tür zum Wandschrank auf und Karlsson steckte sein vergnügtes Gesicht heraus.

Da war Lillebror sehr erstaunt.

»Was in aller Welt hast du in meinem Wandschrank gemacht?«, sagte er.

»Eier ausgebrütet – nein! Dagesessen und über meine Sünden nachgedacht – nein! Auf dem Bord gelegen und mich ausgeruht – ja«, sagte Karlsson.

Lillebror vergaß, dass er wütend war. Er freute sich nur, dass Karlsson doch wieder zum Vorschein gekommen war.

»In diesem Wandschrank kann man prima Versteck spielen«, sagte Karlsson. »Das tun wir, ja? Ich leg mich wieder auf das Bord und du rätst, wo ich bin.«

Bevor Lillebror noch antworten konnte, war Karlsson im Wandschrank verschwunden und Lillebror hörte, wie er auf das Bord kletterte.

»Jetzt such!«, schrie Karlsson.

Lillebror öffnete die Schranktür sperrangelweit und fand Karlsson ohne weitere Schwierigkeiten auf dem Bord.

»O pfui, bist du gemein!«, schrie Karlsson. »Du kannst ja wohl im Bett und unterm Tisch und woanders *zuerst* suchen. Ich mach nicht mit, wenn du's so machst. Pfui, wie bist du gemein!«

In dieser Sekunde läutete es an der Wohnungstür und kurz darauf rief Mama vom Korridor her: »Lillebror, Krister und Gunilla sind da.«

Mehr brauchte es nicht, dass Karlsson wieder guter Laune war.

»Denen wollen wir einen Streich spielen«, flüsterte er. »Mach die Tür hinter mir zu.«

Lillebror schloss die Schranktür und kaum hatte er das getan, da kamen Gunilla und Krister. Sie wohnten in derselben Straße wie Lillebror und gingen in dieselbe Klasse wie er. Lillebror hatte Gunilla sehr gern, er redete immer wieder einmal mit seiner Mutter über sie und wie »phenominal goldig« sie sei. Krister mochte er auch und hatte ihm diese Beule an der Stirn schon verziehen. Es kam ziemlich häufig vor, dass er sich mit Krister prügelte, aber hinterher waren sie immer schnell wieder gute Freunde. Übrigens geriet Lillebror nicht nur mit Krister in Prügeleien; er hatte sich mit fast allen Kindern auf der Straße wilde Kämpfe geliefert.

Aber auf Gunilla ging er nie los. »Wie kommt es eigentlich, dass du Gunilla nie verhaust?«, fragte ihn seine Mama einmal. »Nee, sie ist so phenominal goldig, das brauche ich nicht«, sagte Lillebror.

Aber Gunilla konnte ihn selbstverständlich auch manchmal ärgern. Gestern, als sie von der Schule kamen, hatte Lillebror von Karlsson vom Dach erzählt und da hatte Gunilla gelacht und gesagt, Karlsson sei nur eine Einbildung, nur eine Erfindung. Und Krister hatte ihr Recht gegeben, sodass Lillebror gezwungen war ihn zu verhauen, und da also hatte Krister Lillebror diesen Stein an den Kopf geschmissen.

Aber jetzt kamen sie zu ihm und Krister hatte Joffa mitgebracht. Und wegen Joffa vergaß Lillebror sogar Karlsson, der auf dem Bord im Wandschrank lag.

Hunde waren das Süßeste, was es auf der Welt gab, fand Lillebror. Joffa sprang hoch und bellte und Lillebror legte die Arme um seinen Hals und streichelte ihn. Krister stand daneben und sah ruhig zu. Er wusste ja, dass Joffa *sein* Hund war und niemand anderem gehörte, und darum durfte Lillebror ihn streicheln, so viel er wollte.

Als Lillebror gerade im besten Streicheln war, sagte Gunilla mit einem spöttischen Kichern:

»Wo hast du eigentlich deinen alten Karlsson vom Dach? Wir dachten, er wäre hier.«

Erst jetzt fiel es Lillebror ein, dass Karlsson auf dem Bord im Wandschrank lag. Da er aber nicht wusste, was für einen Streich Karlsson diesmal vorhatte, konnte er es Krister und Gunilla nicht erzählen. Darum sagte er nur:

»Pfff, du sagst ja, Karlsson vom Dach ist nur eine Einbildung. Gestern hast du gesagt, dass er nur eine Erfindung ist.«

»Das ist er ja wohl auch nur«, sagte Gunilla und lachte so, dass die beiden Grübchen zum Vorschein kamen, die sie in den Wangen hatte.

»Denk mal und das ist er *nicht*«, sagte Lillebror.

»Doch ist er es«, sagte Krister.

»Das ist er gerade gar nicht«, sagte Lillebror.

Er überlegte, ob es einen Sinn hätte, dies »vernünftige Gespräch« fortzusetzen, oder ob es nicht ebenso gut wäre, Krister gleich eine runterzuhauen. Aber ehe er sich noch hatte entscheiden können, hörte man aus dem Wandschrank ein lautes und vernehmliches »Kikeriki«.

»Was war denn *das?*«, fragte Gunilla und sperrte ihren Mund, der klein und rot wie eine Kirsche war, vor Verwunderung weit auf.

»Kikeriki«, machte es noch einmal und es hörte sich genau wie ein richtiger Hahn an.

»Hast du einen Hahn im Schrank?«, fragte Krister erstaunt. Joffa knurrte. Aber Lillebror lachte. Er konnte kein Wort hervorbringen, so lachte er.

»Kikeriki«, kam es aus dem Wandschrank.

»Ich mach auf und seh nach«, sagte Gunilla.

Sie machte die Tür auf und guckte hinein. Und Krister lief zu ihr und guckte ebenfalls hinein. Zuerst sahen sie nichts weiter als eine Menge Kleidungsstücke, die dort hingen. Aber dann hörten sie von oben ein Gekicher und als sie hinaufschauten, entdeckten sie einen kleinen dicken Mann, der oben auf dem Bord lag. Er lag bequem da auf den einen Ellenbogen gestützt und baumelte ein bisschen mit einem kurzen dicken Bein und er hatte vergnügte blaue Augen, die hell leuchteten.

Weder Gunilla noch Krister sagten zunächst ein Wort, nur Joffa knurrte. Aber als Gunilla ihre Sprache wieder gefunden hatte, sagte sie:

»Wer ist das?«

»Nur eine kleine Einbildung«, sagte die wunderliche Gestalt da oben auf dem Bord und baumelte noch mehr mit dem Bein. »Eine kleine Einbildung, die hier liegt und sich ausruht. Kurz gesagt – eine Erfindung!«

»Ist das... ist das...«, stotterte Krister.

»'ne kleine Erfindung, die daliegt und kräht, schlicht und recht, genau das«, sagte der kleine Mann.

»Ist es Karlsson vom Dach?«, flüsterte Gunilla.

»Ja, was denkst du sonst?«, sagte Karlsson. »Denkst du, es sei die alte Frau Gustafsson aus Nummer zweiundneunzig, die sich hier hereingeschlichen hat und ein Nickerchen macht?«

Lillebror lachte nur, weil Gunilla und Krister dastanden, die Münder aufsperrten und so dumm aussahen.

»Ich glaube, jetzt hat's euch die Sprache verschlagen«, sagte Lillebror schließlich.

Karlsson hopste vom Bord herunter. Er ging zu Gunilla und kniff sie schelmisch in die Wange.

»Was ist denn das hier für eine kleine alberne Erfindung, was?«, sagte er.

»Wir...«, begann Krister.

»Wie heißt du eigentlich sonst noch außer August?«, fragte Karlsson.

»Ich heiß nicht August«, sagte Krister.

»Gut, mach so weiter«, sagte Karlsson.

»Sie heißen Gunilla und Krister«, sagte Lillebror.

»Ja, es ist kaum zu glauben, was Leuten alles so passiert«, sagte Karlsson. »Aber seid nicht traurig deswegen – alle können ja leider nicht Karlsson heißen.«

Er sah sich neugierig um und fuhr fort ohne Luft zu holen:

106

»Ich fühle mich zu einem kleinen Spaß aufgelegt. Können
wir nicht die Stühle aus dem Fenster schmeißen oder so was
Ähnliches?«
Lillebror glaubte, das sei nicht gerade gut, und er war sicher, dass Mama und Papa das auch nicht gut finden würden.
»Nein, wer altmodisch ist, der ist eben altmodisch«, sagte

Karlsson, »da kann man nichts machen. Dann müssen wir uns eben etwas anderes ausdenken, denn Schabernack will ich treiben. Sonst mach ich nicht mehr mit«, sagte er und kniff bockig den Mund zusammen.

»Ja, wir können uns vielleicht was anderes ausdenken«, sagte Lillebror bittend.

Aber Karlsson war offenbar entschlossen zu maulen.

»Passt bloß auf, dass ich euch nicht davonfliege«, sagte er.

Lillebror und Krister und Gunilla waren sich darüber klar, was für ein Unglück das sein würde, und sie flehten und bettelten, Karlsson möge doch bei ihnen bleiben.

Karlsson saß eine Zeit lang da und sah noch immer ziemlich bockig aus.

»Es ist nicht sicher«, sagte er, »aber *vielleicht* bleibe ich da, wenn die da mich streichelt und ›lieber Karlsson‹ sagt«, sagte er und zeigte mit seinem kleinen dicken Zeigefinger auf Gunilla.

Und Gunilla streichelte ihn schleunigst.

»Lieber Karlsson, bleib hier, damit wir uns irgendeinen Spaß ausdenken können«, sagte sie.

»Na, meinetwegen, dann tu ich es«, sagte Karlsson und die Kinder seufzten erleichtert auf. Aber es war etwas zu früh.

Lillebrors Eltern machten hin und wieder einmal einen Abendspaziergang. Und gerade jetzt rief Mama von der Diele her:

»Auf Wiedersehen bis nachher! Krister und Gunilla dürfen bis acht bleiben. Dann gehst du aber marsch ins Bett, Lillebror. Ich komme noch und sag dir später Gute Nacht.«

Sie hörten die Wohnungstür zuklappen.

»Sie hat nicht gesagt, wie lange *ich* bleiben darf«, sagte Karlsson und schob die Unterlippe vor. »Ich mach nicht mit, wenn es so ungerecht zugeht.«

»Du kannst bleiben, so lange du willst«, sagte Lillebror. Karlsson ließ die Unterlippe noch mehr hängen.

»Warum kann *ich* nicht auch um acht an die Luft gesetzt werden wie alle anderen Menschen?«, sagte Karlsson. »Ich mach nicht mit…«

»Ich werde Mama bitten, dass sie dich um acht an die Luft setzt«, sagte Lillebror schnell. »Was für einen Spaß wollen wir uns denn ausdenken?«

Plötzlich war Karlssons schlechte Laune wie weggeblasen. »Wir können Gespenster spielen und die Leute zu Tode erschrecken«, sagte er. »Ihr ahnt nicht, was ich allein mit einem weißen Laken machen kann. Wenn ich für jeden Einzelnen, den ich zu Tode erschreckt habe, fünf Öre hätte, dann könnte ich mir viele Bonbons kaufen. Ich bin das beste Gespenst der Welt«, sagte Karlsson und seine Augen funkelten lustig.

Lillebror und Krister und Gunilla wollten gern Gespenst spielen, aber Lillebror sagte: »Es muss ja nicht so ein *schrecklicher* Schrecken sein!«

»Ruhig, ganz ruhig«, sagte Karlsson. »Du brauchst dem besten Gespenst der Welt nichts über Gespensterei beizubringen. Ich werde sie nur *ein ganz klein bisschen* zu Tode erschrecken. Die merken das kaum.«

Karlsson ging zu Lillebrors Bett und riss das Überlaken heraus.

»Das hier wird ein hübsches kleines Gespensterkostüm«, sagte er.

In Lillebrors Schreibtischschublade fand er ein Stück Zeichenkohle und mit dieser malte er ein gruseliges Gespenstergesicht auf das Laken. Dann nahm er Lillebrors Schere und schnitt zwei Löcher für die Augen hinein, bevor Lillebror ihn daran hindern konnte.

»Das Laken – ach, das stört keinen großen Geist«, sagte Karlsson. »Und ein Gespenst muss sehen können, sonst kann es auf und davon flattern und landet in Indien oder sonst wo.«

Dann warf er sich das Laken wie einen Umhang über den

Kopf. Nur seine kleinen dicken Hände ragten an den Seiten heraus. Obwohl die Kinder wussten, dass es nur Karlsson war, der unter dem Laken steckte, grauste ihnen trotzdem

ein bisschen und Joffa fing an wie wild zu bellen. Es wurde auch nicht etwa besser, als das Gespenst seinen Motor anließ und um die Deckenlampe herumzufliegen begann, wobei das Laken durch die Geschwindigkeit bald hierhin, bald dorthin flatterte. Es sah richtig unheimlich aus.

»Ich bin ein kleines motorisiertes Gespenst, wild, aber schön«, sagte Karlsson.

Die Kinder standen still und starrten ihn erschrocken an. Joffa bellte.

»Eigentlich mag ich es gern, dass es um mich herum so knattert, wenn ich komme«, sagte Karlsson. »Aber wenn ich gespenstern will, dann ist es vielleicht besser den Schalldämpfer aufzusetzen. Passt auf, so!«

Und dann schwebte er fast geräuschlos herum und wirkte noch gespenstischer als vorher. Nun galt es nur jemanden zu finden, dem man etwas vorgespenstern konnte.

»Ich kann ja mal im Treppenflur mit dem Gespenstern anfangen, da kommt immer mal einer vorbei und der kriegt den Schock seines Lebens«, sagte Karlsson.

Das Telefon klingelte, aber Lillebror hatte keine Lust hinzugehen und abzunehmen. Er ließ es klingeln.

Karlsson begann einige gute Seufzer und Ächzer zu üben. Ein Gespenst, das nicht ächzen und seufzen konnte, war wertlos, behauptete Karlsson. Das sei das Erste, was ein kleines Gespenst in der Gespensterschule lernen musste.

All dies kostete Zeit. Als sie endlich im Korridor standen, bereit, ins Treppenhaus hinauszugehen und mit dem Gespenstern anzufangen, hörten sie ein eigentümliches Kratzen an der Wohnungstür. Erst glaubte Lillebror, es seien die Eltern, die schon nach Hause kamen. Aber da bemerkte er einen langen Draht, der durch den Briefschlitz gesteckt wurde. Und da fiel Lillebror etwas ein, was sein Papa der

Mama kürzlich aus der Zeitung vorgelesen hatte. In der Zeitung hatte gestanden, dass augenblicklich viele Wohnungsdiebe hier in der Stadt am Werk waren. Die Diebe waren schlau: Erst riefen sie an und prüften, ob jemand daheim war. Wenn sich niemand meldete, machten sie sich schnell auf den Weg zu der Wohnung, in der sie angerufen hatten, und dann mussten sie nur noch mit einem bestimmten Trick das Türschloss aufkriegen, hineingehen und alles klauen, was es an Werten gab.

Lillebror bekam fürchterliche Angst, als ihm klar wurde, dass es Diebe waren, die sich Einlass verschaffen wollten, und Krister und Gunilla hatten auch Angst. Krister hatte Joffa in Lillebrors Zimmer eingesperrt, damit er bei der Gespensterei nicht bellen sollte, und das bereute er jetzt.

Aber einer hatte keine Angst und das war Karlsson.

»Ruhig, ganz ruhig«, flüsterte er. »Bei solchen Gelegenheiten ist ein Gespenst das Beste, was man haben kann. Komm, wir schleichen jetzt ins Wohnzimmer, denn dort hat dein Vater sicher seine Goldbarren und Diamanten aufbewahrt«, sagte er zu Lillebror.

Karlsson und Lillebror und Gunilla und Krister schlichen ins Wohnzimmer hinüber, so leise und behutsam und schnell, wie sie konnten. Sie krochen hinter die Möbel und versteckten sich. Karlsson stieg in den schönen alten Schrank, den Mama als Wäscheschrank benutzte, und zog die Tür hinter sich zu, so gut es ging. Er hatte es kaum getan, als die Diebe auch schon angeschlichen kamen. Lillebror, der hinter dem Sofa neben dem offenen Kamin lag, spähte vorsichtig um die Ecke.

Mitten im Zimmer standen zwei Diebe, die sahen gräulich aus. Und – hat man so was schon erlebt? – es waren niemand anderes als Fille und Rulle.

»Tja, nun ist die Frage, wo die ihre Kronjuwelen haben«, sagte Fille mit leiser, heiserer Stimme.

»Da drin natürlich«, sagte Rulle und zeigte auf den antiken Sekretär, der so viele kleine Schubfächer hatte. Lillebror wusste, dass Mama das Haushaltsgeld in einem der Schubfächer aufbewahrte, und in einem anderen hatte sie den schönen, kostbaren Ring und die Brosche, die sie von Großmutter geschenkt bekommen hatte. Und Papas goldene Medaille, die er beim Preisschießen gewonnen hatte, lag auch hier.

Es wäre ganz schrecklich, wenn die Diebe das alles mitnähmen, dachte Lillebror und er konnte die Tränen fast nicht zurückhalten, wie er da so hinter dem Sofa lag.

»Nimm du dir dies Ding da vor«, sagte Fille. »Ich geh inzwischen in die Küche und seh nach, ob sie silberne Löffel haben.«

Fille verschwand und Rulle begann die Schubfächer herauszuziehen. Er stieß einen Pfiff vor Zufriedenheit aus. Jetzt hat er bestimmt das Haushaltsgeld gefunden, dachte Lillebror und er wurde immer trauriger.

Rulle zog das nächste Schubfach heraus und pfiff abermals. Denn jetzt hatte er sicher den Ring und die Brosche gefunden.

Aber dann pfiff Rulle nicht mehr. Denn aus dem Schrank kam ein Gespenst geschossen und ließ ein kleines, warnendes Stöhnen hören. Und als Rulle sich umwandte und das Gespenst erblickte, stieß er einen röchelnden Ton aus und er ließ das Haushaltsgeld und den Ring und die Brosche und alles miteinander fallen. Das Gespenst flatterte um ihn herum und ächzte und seufzte und plötzlich sauste es in die Küche hinaus. Und eine Sekunde später kam Fille angerannt, schneeweiß im Gesicht, und er schrie:

»Spulle, ein Gerenst!«

Er meinte »Rulle, ein Gespenst«, aber er war so erschrocken, dass er stattdessen »Spulle, ein Gerenst« sagte. Es war auch kein Wunder, dass er so erschrocken war, denn das Gespenst folgte ihm dicht auf den Fersen und ächzte und seufzte ganz fürchterlich. Und Rulle und Fille rasten auf die Tür zu und die ganze Zeit flatterte ihnen das Gespenst um die Ohren und sie rannten auf den Korridor hinaus und durch die Wohnungstür davon. Aber das Gespenst kam einfach hinterdrein und jagte sie die Treppe

hinunter und schrie mit einer hohlen, schrecklichen Gespensterstimme hinter ihnen her:

»Ruhig, ganz ruhig! Ich hab euch gleich eingeholt und dann wird's lustig!«

Aber da wurde das Gespenst der Sache müde und kam ins Wohnzimmer zurück.

Lillebror hatte das Haushaltsgeld, den Ring und die Brosche aufgehoben und alles in den Sekretär zurückgelegt und Gunilla und Krister hatten alle silbernen Löffel aufgesammelt, die Fille hatte fallen lassen, als er zwischen der Küche und dem Wohnzimmer hin- und hergerannt war.

»Das beste Gespenst der Welt, das ist Karlsson vom Dach«, sagte das Gespenst und legte das Gespensterkostüm ab.

Die Kinder lachten und freuten sich sehr und Karlsson sagte:

»Es geht doch nichts über ein Gespenst, wenn es darauf ankommt, Diebe zu verscheuchen. Wenn die Leute wüssten, wie gut das ist, dann würden sie an jedem Geldschrank in der ganzen Stadt ein kleines, bösartiges Gespenst anbinden.«

Lillebror freute sich so, dass er hüpfte, weil Mamas Haushaltsgeld und Ring und Brosche und Papas goldene Medaille und alle silbernen Löffel gerettet waren, und er sagte:

»Wenn man bedenkt, wie dumm die Leute sind, dass sie an Gespenster glauben! Es gibt nichts Übernatürliches, hat Papa gesagt.« Er nickte nachdrücklich. »Wie dumm die Diebe waren, dass sie glaubten, es wäre ein Gespenst, was aus dem Schrank kam, und dabei war es überhaupt nichts Übernatürliches, sondern nur Karlsson vom Dach.«

Karlsson zaubert
mit dem Hund Ahlberg

Am nächsten Morgen kam eine kleine, verschlafene, strubbelige Gestalt im blau gestreiften Pyjama auf bloßen Füßen zu Mama in die Küche hinausgetappt. Birger und Betty waren in die Schule gegangen und Papa ins Büro. Aber Lillebror brauchte erst etwas später zu gehen und das war gut, denn er wollte gern ein bisschen mit Mama allein sein in dieser Morgenstunde. Obwohl er ein großer Junge war, der schon in die Schule ging, saß er doch zu gern auf Mamas Schoß, wenn es keiner sah. Man konnte dann so gut reden und wenn sie noch viel Zeit hatten, sangen Mama und Lillebror und erzählten sich gegenseitig Geschichten.

Mama saß am Küchentisch und trank ihren Morgenkaffee und las die Zeitung. Lillebror kletterte schweigend auf ihren Schoß und kuschelte sich in ihre Arme und sie hielt ihn dort fest, bis er ganz wach geworden war.

Dieser Spaziergang gestern Abend hatte ein wenig länger gedauert, als beabsichtigt gewesen war, und als Mama und Papa nach Hause kamen, lag Lillebror schon in seinem Bett und schlief. Er hatte sich bloßgestrampelt und als Mama ihn zudecken wollte, sah sie zwei hässliche Löcher in dem

Laken und es war auch so schmutzig, irgendjemand hatte mit Kohle etwas draufgezeichnet. Kein Wunder, dass Lillebror so schnell eingeschlafen war, dachte Mama. Aber jetzt hatte sie den Sünder auf ihrem Schoß und sie wollte ihn wahrlich nicht ohne eine Erklärung wieder loslassen.

»Hör mal, Lillebror«, sagte sie, »ich möchte wirklich gern wissen, wer die Löcher in dein Laken gemacht hat. Komm nun aber nicht und sag, es sei Karlsson vom Dach gewesen!«

Lillebror schwieg und dachte angestrengt nach. Es *war* ja Karlsson vom Dach gewesen, der die Löcher gemacht hatte, und nun durfte er es nicht sagen! Dann war es wohl das Beste, auch das mit den Dieben zu verschweigen, denn Mama würde auch das nicht glauben.

»Na?«, sagte Mama, als sie keine Antwort bekam.

»Frag doch lieber Gunilla«, sagte Lillebror listig.

Gunilla konnte Mama erzählen, wie alles zusammenhing. Ihr musste Mama ja glauben.

Aha, Gunilla ist es also gewesen, die das Laken zerschnitten hat, dachte Mama. Und sie fand es sehr anständig von Lillebror, dass er nicht petzte, sondern Gunilla selbst erzählen lassen wollte, was sie angestellt hatte. Mama drückte Lillebror schnell einmal an sich. Sie beschloss, jetzt nicht weiter nach dem Laken zu fragen, aber Gunilla wollte sie sich mal vorknöpfen, wenn es sich so ergab.

»Du hast Gunilla wohl furchtbar gern, was?«, fragte Mama.

»Ja, ziemlich…«, sagte Lillebror.

Mama schielte wieder ein bisschen in die Zeitung und

119

Lillebror saß schweigend auf ihrem Schoß und überlegte. Wen hatte er eigentlich alles gern? Vor allen Dingen Mama – und dann Papa. Birger und Betty hatte er manchmal gern – besonders Birger –, aber manchmal war er so böse auf sie, dass er hätte platzen können! Karlsson vom Dach hatte er gern. Und Gunilla hatte er gern – ziemlich. Vielleicht heiratete er sie mal, wenn er groß war, denn eine Frau musste man ja wohl haben, ob man wollte oder nicht. Wenn er auch am liebsten Mama heiraten würde – aber das ging vielleicht nicht.

Als er so weit gekommen war, fiel ihm plötzlich etwas ein, was ihn unruhig machte. »Du, sag mal, Mama, wenn Birger groß ist und er stirbt, muss ich dann seine Frau heiraten?«

Mama stellte verwundert die Kaffeetasse hin.

»Wie um alles in der Welt kommst du denn darauf?«, fragte sie.

Es schien, als wollte sie anfangen zu lachen. Und da bekam Lillebror Angst, dass er etwas Dummes gesagt haben könnte, und er wollte nicht mehr über die Sache sprechen. Aber Mama fragte weiter:

»Warum glaubst du das?«

»Ich hab doch Birgers altes Fahrrad bekommen«, sagte Lillebror widerstrebend. »Und seine alten Schier... und seine Schlittschuhe, die er hatte, als er so alt war wie ich... und seine alten Schlafanzüge und Turnschuhe und alles.«

»Aber seine alte Frau brauchst du nicht zu nehmen, das verspreche ich dir«, sagte Mama. Und sie lachte nicht, was ein Glück war.

»Kann ich nicht dich stattdessen heiraten?«, schlug Lillebror vor.

»Ich weiß nicht, wie das gehen soll«, sagte Mama. »Ich bin ja schon mit Papa verheiratet.«

Ja, das stimmte allerdings...

»Was für ein phenominales Pech, dass Papa und ich in dieselbe verliebt sind«, sagte Lillebror missmutig.

Aber jetzt lachte Mama und sagte:

»Nein, weißt du was, das finde ich gerade gut.«

»Das meinst *du*, ja«, sagte Lillebror. »Aber dann muss ich wohl Gunilla nehmen«, fügte er hinzu. »Denn irgendjemand muss man wohl haben.«

Er dachte von neuem nach und er fand es überhaupt nicht lustig, mit Gunilla zusammen wohnen zu müssen. Sie konnte manchmal ziemlich lästig sein. Und im Übrigen wollte er mit Mama und Papa und Birger und Betty zusammen wohnen. Es war nicht gerade eine Frau, auf die er so besonders aus war.

»Ich möchte viel lieber einen Hund haben als eine Frau«, sagte er. »Mama, *kann* ich nicht einen Hund kriegen?« Mama seufzte. Jetzt fing Lillebror schon wieder an von seinem verflixten Hund zu sprechen! Das war fast genauso anstrengend wie das mit Karlsson vom Dach.

»Weißt du was, Lillebror, ich glaube, du musst jetzt gehen und dich anziehen«, sagte Mama. »Sonst kommst du nicht rechtzeitig in die Schule.«

»Typisch«, sagte Lillebror grimmig. »Wenn ich von meinem Hund rede, dann fängst du an von der Schule zu reden!«

Es machte trotzdem Spaß, heute in die Schule zu gehen, denn er hatte sich so viel mit Krister und Gunilla zu erzählen. Sie gingen wie gewöhnlich zusammen nach Hause und Lillebror hatte es seit langem nicht so schön gefunden wie heute, da Gunilla und Krister ja nun Karlsson vom Dach auch kannten.

»Der ist richtig toll, finde ich«, sagte Gunilla. »Glaubst du, er kommt heute auch?«

»Das weiß ich nicht«, sagte Lillebror. »Er sagt nur, er käme *ungefähr*, und das kann jederzeit sein.«

»Ich hoffe, er kommt ungefähr heute«, sagte Krister. »Gunilla und ich gehen mit dir nach Hause. Dürfen wir das?«

»Meinetwegen gern«, sagte Lillebror.

Da schien noch jemand zu sein, der mit ihnen gehen wollte. Als die Kinder eben die Straße überqueren wollten, kam ein schwarzer junger Pudel auf Lillebror zugelaufen. Er beschnupperte ihn an den Kniekehlen und kläffte zutraulich. »Guck mal, was für 'n süßer kleiner Hund«, sagte Lillebror, ganz aus dem Häuschen vor Freude. »Guck mal, er hat sicher Angst vor dem Verkehr und möchte mit mir über die Straße gehen!«

Lillebror war so glücklich, dass er ihn über wer weiß wie viele Straßen hinübergelotst hätte. Vielleicht fühlte der junge Hund das, denn er trabte mit über die Straßenkreuzung und drückte sich dicht an Lillebrors Bein.

»Wie ist der süß«, sagte Gunilla. »Komm mal her, kleiner Wauwau!«

»Nee, der will bei mir sein«, sagte Lillebror und packte den Welpen mit festem Griff. »Er mag mich.«

»Mich mag er auch, genauso«, sagte Gunilla.

Der kleine Welpe sah aus, als möge er jeden auf der ganzen Welt, wenn er ihn nur mochte. Und Lillebror mochte ihn, oh, wie sehr er ihn mochte! Er bückte sich und streichelte den Hund und lockte ihn und gab eine Menge leiser, zärtlicher Töne von sich, die alle miteinander sagen wollten, dass dieser junge Pudel der liebste, liebste, liebste Hund sei, den es gab. Der Welpe wedelte mit dem Schwanz und sah aus, als ob er derselben Meinung sei. Er kläffte und lief fröhlich mit, als die Kinder in ihre Straße einbogen.

Lillebror war plötzlich von einer wahnsinnigen Hoffnung erfüllt.

»Vielleicht hat er kein Zuhause«, sagte er. »Er hat vielleicht keinen, dem er gehört.«

»Pfff, natürlich hat er jemand«, sagte Krister.

»Halt du deinen Mund«, sagte Lillebror böse. »Was weißt du denn davon?«

Krister, der Joffa hatte, was wusste der denn davon, wie es war, wenn man keinen Hund hatte, überhaupt keinen Hund?

»Komm her, mein Hundchen«, lockte Lillebror und war immer mehr überzeugt, dass der Pudel kein Zuhause hatte.

»Pass auf, dass der nicht mit dir nach Hause läuft«, sagte Krister.

»Das kann er aber ruhig«, sagte Lillebror. »Ich möchte, dass er mit mir nach Hause läuft.«

Und der Welpe lief mit. Ganz bis vor Lillebrors Haustür lief er mit. Und dann nahm Lillebror ihn auf den Arm und trug ihn die Treppen hinauf.

»Ich frag Mama, ob ich ihn behalten darf«, sagte Lillebror aufgeregt.

Aber Mama war nicht da. Auf dem Küchentisch lag ein Zettel, dass sie unten in der Waschküche sei und dass Lillebror sie dort finde, wenn er irgendetwas wolle.

Aber der Hund schoss wie eine Rakete geradewegs in Lillebrors Zimmer und Lillebror und Gunilla und Krister rannten hinterdrein. Lillebror war verrückt vor Freude.

»Er möchte sicher bei mir wohnen«, sagte er.

Im selben Augenblick kam Karlsson vom Dach zum Fenster hereingebrummt.

»Heißa hopsa«, schrie er. »Habt ihr euern Hund gewaschen, dass er so eingelaufen ist?«

»Das ist doch nicht Joffa, das siehst du doch«, sagte Lillebror. »Das hier ist mein Hund.«

»Das stimmt aber nicht«, sagte Krister.

»Du hast doch keinen Hund!«, sagte Gunilla.

»Aber ich, ich habe tausend Hunde bei mir oben«, sagte Karlsson. »Der beste Hundeaufpasser der We...«

»Ich hab keine Hunde gesehen, als ich bei dir oben war«, sagte Lillebror.

»Die waren unterwegs und flogen draußen herum«, versicherte Karlsson. »Ich hab fliegende Hunde.«

Lillebror hörte nicht auf Karlsson. Tausend fliegende Hunde waren nichts gegen diesen süßen kleinen Pudel.

»Ich glaube, er hat keinen, dem er gehört«, sagte er noch einmal.

Gunilla beugte sich über den Hund.

»Auf dem Halsband steht allerdings Ahlberg«, sagte sie.

»Und dann ist dir wohl klar, dass das die Leute sind, denen er gehört«, sagte Krister.

»Vielleicht ist Ahlberg tot«, sagte Lillebror.

Wer Ahlberg auch sein mochte, er konnte ihn nicht leiden. Aber da kam ihm ein guter Gedanke.

»Vielleicht ist es der Hund, der Ahlberg heißt«, sagte er und sah Krister und Gunilla flehend an. Sie lachten spöttisch.

»Ich hab mehrere Hunde, die Ahlberg heißen«, sagte Karlsson. »Heißa hopsa, Ahlberg!«

Der junge Hund machte einen kleinen Satz auf Karlsson zu und bellte munter.

»Seht ihr«, schrie Lillebror, »er weiß selbst, dass er Ahlberg heißt. Komm her, kleiner Ahlberg!«

Gunilla fing den Welpen ein.

»Auf dem Halsband steht auch eine Telefonnummer«, stellte sie erbarmungslos fest.

»Der Hund hat eigenes Telefon«, sagte Karlsson. »Sagt ihm, er soll seine Haushälterin anrufen und sagen, er habe sich verlaufen. Das tun meine Hunde immer, wenn sie sich verlaufen haben.«

Er streichelte den kleinen Hund mit seiner kleinen dicken Hand.

»Einer meiner Hunde, der Ahlberg heißt, der war kürzlich weggelaufen«, sagte Karlsson. »Und da hat er dann zu Hause angerufen um Bescheid zu sagen. Aber er hatte sich mit dem Drehdings vertan und da landete er stattdessen bei einer alten Majorin auf Kungsholmen, und als sie hörte, dass ein Hund am Telefon war, da sagte sie: ›Falsch verbunden.‹ – ›Warum melden Sie sich dann?‹, fragte Ahlberg, denn er ist so ein gescheiter Hund.«

Lillebror hörte nicht zu, was Karlsson sagte. Augenblicklich interessierte ihn nichts anderes als der kleine Hund und er kümmerte sich nicht einmal darum, als Karlsson sagte, er fühle sich zu einem kleinen Spaß aufgelegt. Aber da zog Karlsson einen Flunsch und sagte:

»Ich mach nicht mit, wenn du dich bloß immerzu mit dem Hund abgibst. Ich darf wohl auch noch ein bisschen Vergnügen haben!«

Darin gaben ihm Gunilla und Krister Recht.

»Wir könnten eine Zaubereivorstellung geben«, sagte

Karlsson, nachdem er aufgehört hatte zu maulen. »Der beste Zaubereimacher der Welt – ratet mal, wer das ist!« Lillebror und Gunilla und Krister rieten auf der Stelle, dass das Karlsson sein müsse.

»Dann beschließen wir, dass wir eine Zaubereivorstellung geben«, sagte Karlsson.

»Ja«, sagten die Kinder.

»Und dann beschließen wir, dass es einen Bonbon Eintritt kostet«, sagte Karlsson.

»Ja«, sagten die Kinder.

»Und dann beschließen wir, dass alle Bonbons wohltätigen Zwecken zugeführt werden sollen«, sagte Karlsson.

»Hmmnja«, sagten die Kinder etwas zögernd.

»Und da gibt es nur *einen* wirklich wohltätigen Zweck und das ist Karlsson vom Dach«, sagte Karlsson.

Die Kinder sahen sich an.

»Ich weiß nicht... so recht...«, begann Krister.

»Das *beschließen* wir«, schrie Karlsson, »sonst mach ich nicht mit!«

Und so wurde beschlossen, dass alle Bonbons an Karlsson vom Dach gehen sollten.

Krister und Gunilla gingen auf die Straße hinunter und sagten allen Kindern Bescheid, oben bei Lillebror solle eine große Zaubereivorstellung veranstaltet werden. Und alle, die wenigstens noch fünf Öre von ihrem Taschengeld übrig hatten, rannten zum Kaufmann und kauften Eintrittsbonbons.

Die Bonbons wurden dann an der Tür zu Lillebrors Zimmer abgegeben, wo Gunilla stand und sie in Empfang nahm

und sie in eine Schachtel legte mit der Aufschrift: »Für
wohltätige Zwecke«.

Krister hatte mitten im Zimmer Hocker in einer Reihe auf-
gestellt und hier durfte sich das Publikum hinsetzen. In
einer Ecke des Raumes war eine Decke aufgehängt und von
dort hörte man ein Gemuschel und Getuschel und einen
Hund, der kläffte.

»Was kriegen wir denn zu sehen?«, fragte ein Junge, der

Kirre hieß. »Ist natürlich alles nur Blödsinn, aber dann will ich meinen Bonbon wiederhaben.«

Weder Lillebror noch Gunilla, noch Krister mochten Kirre leiden, denn er gab immer so an.

Lillebror, der hinter der Decke gesteckt hatte, trat jetzt hervor. Er hielt den kleinen Hund im Arm. »Ihr werdet den besten Zaubereimacher der Welt und den berühmten Zauberhund Ahlberg sehen«, sagte er.

»Wie gesagt – den besten Zaubereimacher der Welt«, ließ sich eine Stimme hinter der Decke vernehmen und hervor kam Karlsson.

Auf dem Kopf hatte er den Zylinderhut von Lillebrors

Papa und über seinen Schultern hing die karierte Schürze von Lillebrors Mama, mit einer kleinen, zierlichen Schleife unter Karlssons Kinn zusammengebunden. Die Schürze sollte der Ersatz für einen schwarzen Umhang sein, wie ihn Zauberer immer umhaben.

Alle klatschten in die Hände, alle außer Kirre. Karlsson verbeugte sich und sah sehr selbstgefällig aus. Dann nahm er den Zylinderhut ab und zeigte, dass er leer war, genau wie alle Zauberer es immer machen.

»Bitte, sehen Sie her, meine Herrschaften«, sagte er, »hier ist nichts drin, aber auch rein gar nichts!«

Jetzt zaubert er sicher ein Kaninchen aus dem Hut hervor, dachte Lillebror, denn das hatte er einmal von einem Zauberer gesehen. Es würde Spaß machen zu sehen, wie Karlsson ein Kaninchen hervorzaubert, dachte er.

»Wie gesagt... hier ist nichts drin«, sagte Karlsson düster. »Und hier wird auch nichts drin sein, wenn ihr nicht was reinlegt«, fuhr er fort. »Ich sehe, hier sitzen haufenweise gefräßige Kinder und essen Bonbons. Jetzt lassen wir den Hut herumgehen und dann legen alle einen Bonbon hinein. Es ist für einen sehr wohltätigen Zweck.«

Lillebror ging mit dem Hut herum und bald lag ein ganz hübscher Haufen Bonbons darin. Er gab Karlsson den Hut.

»Es klappert bedenklich«, sagte Karlsson und schüttelte den Hut. »Wenn er voll wäre, würde es kein bisschen klappern.«

Er stopfte einen der Bonbons in den Mund und fing an zu kauen.

»Es ist ein *wirklich* wohltätiges Gefühl«, sagte er und kaute zufrieden.

Kirre hatte keinen Bonbon in den Hut gelegt, obwohl er eine ganze Tüte voll hatte.

»Ja, meine lieben Freunde – und Kirre«, sagte Karlsson. »Hier seht ihr den Zauberhund Ahlberg, den Hund, der alles kann. Telefonieren, fliegen, Brötchen backen, sprechen, das Bein heben – alles!«

In dieser Sekunde hob der kleine Pudel wirklich das Bein an Kirres Stuhl und auf dem Fußboden entstand eine winzig kleine Pfütze.

»Ihr seht, ich übertreibe nicht«, sagte Karlsson, »dieser Hund kann wirklich alles.«

»Pfff«, machte Kirre und rückte mit seinem Stuhl etwas von der Pfütze ab, »das da kann jeder Köter. Aber lass ihn doch mal'n bisschen sprechen. Das wird schon schwieriger sein, hahaha!«

Karlsson wandte sich an den Hund. »Findest du sprechen schwierig, Ahlberg?«

»Gar nicht«, antwortete Ahlberg. »Nur wenn ich Zigarre rauche.«

Lillebror und Gunilla und Krister zuckten richtig zusammen, denn es klang genauso, als ob es der Pudel sei, der sprach. Aber Lillebror dachte, es wird wohl Karlsson sein, der irgendeinen Trick anwandte. Und das war nur gut, denn Lillebror wollte einen gewöhnlichen Hund haben und nicht einen, der sprechen konnte.

»Guter Ahlberg«, sagte Karlsson, »kannst du nicht allen unsern Freunden – und Kirre – ein bisschen aus dem Leben eines Hundes erzählen?«

»Aber gern«, sagte Ahlberg.

Und dann begann er zu erzählen.

»Ich war neulich Abend im Kino«, sagte er und sprang spielerisch um Karlsson herum.

»Sieh mal einer an, du warst im Kino?«

»Ja, und neben mir in derselben Reihe saßen zwei Hundeflöhe«, sagte Ahlberg.

»Nein, wirklich?«, sagte Karlsson.

»Ja, und als wir hinterher auf die Straße hinauskamen, da hörte ich, wie der eine Floh zum andern sagte: ›Wollen wir zu Fuß nach Hause gehen oder wollen wir einen Hund nehmen?‹«

Alle Kinder fanden die Vorstellung gut, wenn auch vielleicht nicht gerade viel Zauberei dabei war. Nur Kirre saß da und machte ein hochmütiges Gesicht.

»Sag ihm, er soll jetzt auch mal Brötchen backen«, sagte er höhnisch.

»Willst du ein paar Brötchen backen, Ahlberg?«, fragte Karlsson.

Ahlberg gähnte und legte sich auf die Erde.

»Nee, das kann ich nicht«, sagte er.

»Haha, das hab ich mir gedacht!«, sagte Kirre.

»Nee, ich hab nämlich keine Hefe im Haus«, sagte Ahlberg.

Alle Kinder lachten. Sie mochten Ahlberg sehr gern. Nur Kirre fuhr fort sich blöde zu benehmen.

»Lass ihn stattdessen fliegen«, sagte er. »Dazu braucht man keine Hefe.«

»Möchtest du fliegen, Ahlberg?«, fragte Karlsson.

Es sah beinah so aus, als ob Ahlberg schlafe, aber er antwortete jedenfalls, wenn Karlsson ihn anredete.

»Bitte schön, ich will gern fliegen«, sagte er. »Aber dann musst du mitfliegen, denn ich hab meiner Mama versprochen nie allein aufzusteigen.«

»Dann komm her, Ahlbergchen«, sagte Karlsson und nahm den Hund auf den Arm.

Und eine Sekunde später flogen sie, Karlsson und Ahlberg.

Erst stiegen sie bis zur Decke empor und machten ein paar Runden um die Deckenlampe und danach ging es geradewegs zum Fenster hinaus. Da wurde sogar Kirre blass vor Staunen.

Alle Kinder stürzten ans Fenster und standen da und sahen Karlsson und Ahlberg über die Hausdächer dahinschweben. Aber Lillebror schrie verzweifelt: »Karlsson, Karlsson, komm mit meinem Hund zurück!«

Das tat Karlsson. Er kam zurück und setzte Ahlberg auf den Fußboden. Ahlberg schüttelte sich und er sah so verwundert aus, dass man meinen konnte, es sei der erste Flug seines Lebens gewesen.

»Ja, und jetzt ist Schluss für heute, jetzt haben wir nichts mehr zu bieten«, sagte Karlsson. »Aber *du* hast noch was«, fuhr er fort und versetzte Kirre einen kleinen Knuff.

Kirre verstand nicht, was er meinte.

»Bonbons«, sagte Karlsson.

Und Kirre holte seine Tüte heraus und gab Karlsson die ganze Tüte. Allerdings nahm er sich zuerst einen Bonbon heraus.

»So 'n gefräßiger Bengel«, sagte Karlsson. Dann sah er sich eifrig um. »Wo ist die Schachtel für wohltätige Zwecke?«, fragte er.

Gunilla holte sie. Sie dachte, jetzt wird Karlsson uns doch einen Bonbon anbieten, wo er so viele hat. Aber das tat Karlsson nicht. Er nahm die Schachtel und zählte hungrig alle Bonbons nach.

»Fünfzehn«, sagte er. »Reicht zum Abendbrot! Heißa hopsa, ich muss nach Hause und Abendbrot essen!«

Und dann verschwand Karlsson durchs Fenster.

Alle Kinder mussten nach Hause gehen, auch Gunilla und Krister. Lillebror und Ahlberg blieben allein zurück und das fand Lillebror richtig schön. Er nahm den Hund in seine Arme und setzte sich hin und flüsterte mit ihm. Und der kleine Hund leckte ihm das Gesicht und dann schlief er ein. Er ließ ein leises Schnaufen hören, während er schlief.

Aber dann kam Mama aus der Waschküche herauf und nun wurde alles so schrecklich traurig. Mama glaubte einfach nicht, dass Ahlberg kein Zuhause habe. Sie wählte die Telefonnummer, die auf dem Halsband stand, und gab

Bescheid, dass ihr Sohn einen kleinen schwarzen Pudel-
welpen aufgegriffen habe.

Lillebror stand neben dem Telefon mit Ahlberg im Arm und
er flüsterte die ganze Zeit: »Lieber Gott, mach, dass denen
der Pudel nicht gehört!«

Aber er *gehörte* ihnen.

»Liebling«, sagte Mama, als sie den Hörer wieder aufgelegt
hatte. »Es ist ein Junge, der heißt Staffan Ahlberg und dem
gehört Bobby.«

»Bobby?«, fragte Lillebror.

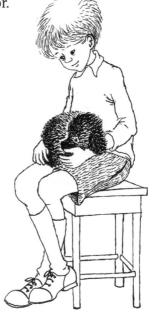

»Ja, so heißt der Hund. Staffan hat den ganzen Nachmittag
geweint. Und um sieben Uhr kommt er und holt Bobby
ab.«

136

Lillebror sagte nichts, aber er wurde ein bisschen weißer im Gesicht und seine Augen sahen so blank aus. Er drückte den Pudel an sich und flüsterte ihm ins Ohr, als Mama nicht hinhörte:

»Kleiner Ahlberg, wenn du doch nur mein Hund wärst.«

Aber um sieben Uhr kam Staffan Ahlberg und holte seinen Bobby. Da lag Lillebror in seinem Bett und weinte, als sollte ihm das Herz brechen.

Karlsson geht zur Geburtstagsfeier

Jetzt war es Sommer geworden, die Schule war zu Ende und Lillebror sollte zur Großmutter fahren. Aber vorher würde noch etwas sehr Wichtiges passieren: Lillebror wurde acht Jahre alt. Ach, er hatte auf diesen Geburtstag so lange gewartet – fast seit dem Tag, als er sieben wurde! Es war komisch, wie lange Zeit zwischen den Geburtstagen war, fast genauso lange wie zwischen den Weihnachtsfesten.

Am Abend vor dem Geburtstag unterhielt Lillebror sich eine Weile mit Karlsson.

»Ich feiere morgen Geburtstag«, sagte Lillebror. »Gunilla und Krister kommen und hier drinnen in meinem Zimmer wird der Tisch gedeckt...«

Lillebror verstummte und sah finster aus.

»Ich hätte dich auch gern eingeladen«, sagte er, »aber...«

Mama war ja so böse auf Karlsson vom Dach. Es hatte sicher keinen Zweck, sie zu bitten, ob er ihn zum Geburtstag einladen dürfe.

Aber Karlsson schob die Unterlippe vor und maulte noch mehr als sonst.

»Ich mach nicht mit, wenn ich nicht mitmachen darf«, sagte er. »*Ich* darf wohl auch mal ein Vergnügen haben!«

»Ja, ja, du darfst kommen«, sagte Lillebror schnell. Er wollte mit Mama sprechen – dann mochte kommen, was wollte. Er konnte seinen Geburtstag nicht ohne Karlsson feiern.

»Was gibt's zu essen?«, fragte Karlsson, als er fertig gemault hatte.

»Torte natürlich«, sagte Lillebror. »Ich krieg eine Geburtstagstorte mit acht Lichtern drauf.«

»Soso«, sagte Karlsson. »Du, ich hab einen Vorschlag!«

»Was denn?«, fragte Lillebror.

»Kannst du nicht deine Mama bitten, ob du stattdessen *acht* Torten und *ein* Licht haben kannst?«

Lillebror glaubte nicht, dass sich Mama darauf einlassen würde.

»Kriegst du denn ein paar gute Geschenke?«, fragte Karlsson.

»Das weiß ich nicht«, sagte Lillebror.

Er seufzte. Natürlich wusste er, was er sich wünschte – mehr als irgendetwas anderes auf der Welt. Aber das würde er nicht bekommen.

»Einen Hund krieg ich wohl in meinem ganzen Leben nicht«, sagte er. »Aber ich bekomme natürlich eine Menge anderer Geschenke. Ich muss also froh sein und darf nicht den ganzen Tag an einen Hund denken. Das hab ich mir vorgenommen.«

»Nee, und dann hast du ja mich«, sagte Karlsson. »Und ich sollte meinen, das haut 'n bisschen mehr hin als ein Hund!« Er legte den Kopf schief und schaute Lillebror an.

»Ich möchte mal wissen, was für Geschenke du kriegst«, sagte er. »Ich möchte wissen, ob du Bonbons kriegst! In dem Fall, finde ich, sollten sie unmittelbar wohltätigen Zwecken zugeführt werden.«

»Ja, wenn ich eine Tüte Bonbons bekomme, dann sollst du sie haben«, sagte Lillebror.

Für Karlsson konnte er *alles* tun und jetzt mussten sie sich ja außerdem trennen.

»Karlsson, übermorgen fahre ich zu Großmutter und bleibe den ganzen Sommer dort«, sagte Lillebror.

Karlsson sah erst etwas verdrießlich aus, aber dann sagte er wichtigtuerisch:

»*Ich* fahre auch zu *meiner* Großmutter. Sie ist viel großmuttriger als deine.«

»Wo wohnt sie, deine Großmutter?«, fragte Lillebror.

140

»In einem Haus«, antwortete Karlsson. »Dachtest du, sie rennt die ganzen Nächte draußen rum?«

Danach wurde nicht mehr viel von Karlssons Großmutter oder von Lillebrors Geburtstagsgeschenken oder sonst was geredet, denn es war spät geworden und Lillebror musste ins Bett, damit er an seinem Geburtstag rechtzeitig wach sein konnte.

Diese Minuten am Geburtstagsmorgen, während man dalag und wartete, dass die Tür aufging und alle miteinander hereinkamen – mit dem Geburtstagstablett und Geschenken –, das war fast mehr, als man ertragen konnte. Lillebror fühlte, wie es ihm richtig im Bauch kribbelte vor Aufregung.

Aber jetzt kamen sie, jetzt stimmten sie da draußen »Hoch soll er leben!« an, jetzt ging die Tür auf und da waren sie alle, Mama und Papa und Birger und Betty.

Lillebror setzte sich kerzengerade im Bett hoch und seine Augen blitzten.

»Ich gratuliere, liebster Lillebror«, sagte Mama.

Alle sagten der Reihe nach zu ihm »ich gratuliere«. Und da war die Torte mit den acht Lichtern und auf dem Tablett lagen die Geschenke.

Mehrere Geschenke. Wenn auch vielleicht nicht so viele, wie er es an seinem Geburtstag *gewohnt* war. Es waren nicht mehr als vier Pakete, wie oft Lillebror auch nachzählte.

Aber Papa sagte:

»Im Laufe des Tages kann es ja noch mehr Geschenke geben. Man braucht ja nicht gleich alles morgens zu bekommen.«

Und Lillebror freute sich sehr über seine vier Pakete. Er hatte einen Tuschkasten bekommen und eine Spielzeugpistole und ein Buch und ein Paar neue Jeans und er fand alles sehr schön. Wie waren sie doch lieb, Mama und Papa

und Birger und Betty! Keiner hatte so liebe Eltern oder so liebe Geschwister wie er.

Er schoss ein paar Mal mit seiner Pistole und es knallte ordentlich. Und die ganze Familie saß auf seiner Bettkante und hörte zu. Oh, wie lieb hatte er sie alle miteinander!

»Denkt bloß, jetzt ist es acht Jahre her, seit dieser kleine Knirps zur Welt kam«, sagte Papa.

»Ja«, sagte Mama, »wie die Zeit vergeht! Erinnerst du dich noch, wie es an dem Tag in Stockholm regnete?«

»Mama, ich bin ja hier in Stockholm geboren«, sagte Lillebror.

»Ja, natürlich bist du das«, sagte Mama.

»Aber Birger und Betty, die sind in Malmö geboren?«

»Ja, das sind sie.«

»Und du, Papa, du bist in Göteborg geboren, hast du gesagt.«

»Ja, ich bin ein Göteborger Kind«, sagte Papa.

»Und wo bist du geboren, Mama?«

»In Eskilstuna«, sagte Mama.

Lillebror schlang seine Arme heftig um ihren Hals.

»Da haben wir aber ein phenominales Glück gehabt, dass wir uns alle getroffen haben!«

Der Meinung waren sie alle. Und dann sangen sie zusammen noch einmal »Hoch soll er leben!« und Lillebror schoss mit seiner Pistole und es knallte kolossal.

Er hatte noch viele Male im Laufe des Tages Gelegenheit, mit seiner Pistole zu schießen, während er darauf wartete, dass die Geburtstagsfeier anfing. Und er hatte ziemlich viel Zeit darüber nachzugrübeln, was Papa gesagt hatte – dass es im Laufe des Tages noch mehr Geschenke geben könnte. Einen kurzen glücklichen Augenblick lang dachte er, ob nicht vielleicht doch ein Wunder geschähe und er einen Hund bekäme. Aber er wusste ja, es war unmöglich. Und er war böse auf sich selbst, dass er auf so dumme Gedanken

143

kommen konnte – er hatte sich doch vorgenommen den ganzen Geburtstag über nicht an einen Hund zu denken, sondern trotzdem vergnügt zu sein.

Und Lillebror *war* vergnügt. Gegen Nachmittag begann Mama, den Tisch in seinem Zimmer hübsch zu decken. Sie stellte eine ganze Menge Blumen auf den Tisch und die besten rosa Tassen – drei Stück.

»Mama, es müssen vier Tassen sein«, sagte Lillebror.

»Wieso denn?«, fragte Mama verwundert.

Lillebror schluckte. Er war gezwungen zu erzählen, dass er Karlsson vom Dach eingeladen hatte, obwohl Mama nicht einverstanden sein würde.

»Karlsson vom Dach kommt auch«, sagte Lillebror und sah seiner Mama fest in die Augen.

»Oooh«, sagte Mama. »Oooh! Aber – na schön, schließlich hast du Geburtstag.«

Sie strich Lillebror über das helle Haar.

»Was hast du nur für kindische Einfälle, Lillebror. Man sollte nicht glauben, dass du schon acht Jahre geworden bist. Wie alt bist du jetzt eigentlich?«

»Ich bin ein Mann in meinen besten Jahren«, sagte Lillebror würdevoll. »Genau wie Karlsson.«

Der Geburtstag schlich im Schneckentempo dahin. Jetzt war es schon ziemlich »im Laufe des Tages«, aber noch immer hatte er keine weiteren Geschenke bekommen.

Endlich bekam er jedenfalls eins. Birger und Betty, die noch keine Sommerferien hatten, kamen von der Schule nach Hause. Und sie schlossen sich in Birgers Zimmer ein. Lillebror durfte nicht mitkommen. Er hörte, wie sie da drinnen kicherten und mit Papier raschelten. Lillebror war so neugierig, dass er fast geplatzt wäre.

Nach einer ganzen Weile kamen sie heraus und Betty lachte und reichte ihm ein Paket. Lillebror freute sich mächtig und wollte das Papier gleich abreißen. Aber da sagte Birger:

»Du musst erst das Gedicht lesen, das draufsteht.«

Sie hatten es mit großen Blockbuchstaben geschrieben, damit Lillebror es selber lesen konnte, und er las:

Jeden Tag und jede Stund
redest du ja nur von Hund.
Betty, Birger eilten sich,
weil sie mächtig lieben dich,
kauften dir ein prima Tier,
um es heut zu schenken dir.
Dieser kleine Sammethund
ist gar artig, weich und rund,
hüpfet nicht herum und bellt,
ist das Sauberste der Welt.

Lillebror stand ganz still und ganz stumm da.
»Mach jetzt das Paket auf«, sagte Birger.
Aber Lillebror warf es auf den Boden und die Tränen schossen ihm aus den Augen.
»Aber Lillebror, was ist los?«, rief Betty.
»Was hast du denn?«, fragte Birger ganz unglücklich.
Betty schlang die Arme um Lillebror.
»Entschuldige, es war ja nur Spaß, verstehst du?«
Lillebror riss sich heftig los. Die Tränen strömten ihm über die Backen.
»Ihr habt ja gewusst«, schluchzte er, »ihr habt ja gewusst, dass ich einen *lebendigen* Hund haben wollte, und dann braucht ihr mich doch nicht zu ärgern.«
Er rannte weg in sein Zimmer und warf sich aufs Bett. Birger und Betty kamen hinterher und Mama kam angelaufen.
Aber Lillebror kümmerte sich nicht um sie. Er weinte so sehr, dass es ihn schüttelte. Jetzt war der ganze Geburtstag ver-

dorben. Er hatte sich doch vorgenommen vergnügt zu sein, auch wenn er keinen Hund bekam, aber wenn sie ihm einen *Plüschhund* schenkten... Das Weinen stieg zu einem richtigen Gejammer an, als er daran dachte, und er bohrte das Gesicht ins Kissen, so tief er konnte. Mama und Birger und Betty standen um das Bett herum und waren auch traurig.

»Ich muss Papa anrufen und ihn bitten, ob er nicht etwas früher vom Büro nach Hause kommen kann«, sagte Mama. Lillebror weinte – was half es, wenn Papa nach Hause kam? Alles war jetzt so trostlos und der Geburtstag verdorben, nichts konnte mehr helfen.

Er hörte, wie Mama hinüberging und telefonierte – aber er weinte. Er hörte auch, wie Papa eine Weile später nach Hause kam – aber er weinte. Er konnte nie mehr fröhlich sein.

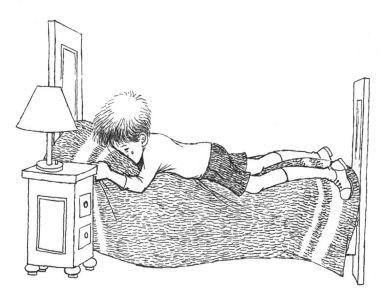

Es wäre besser, er dürfte sterben. Und da mochten Birger und Betty ihren Plüschhund nehmen und immer, immer daran denken, wie gemein sie zu ihrem kleinen Bruder gewesen waren, als er noch lebte und Geburtstag hatte.

Da standen sie plötzlich alle miteinander an seinem Bett – Papa und Mama und Birger und Betty. Er grub sein Gesicht noch tiefer ins Kissen.

»Lillebror, draußen auf dem Korridor ist jemand, der auf dich wartet«, sagte Papa.

Lillebror gab keine Antwort. Papa rüttelte ihn an der Schulter.

»Draußen auf dem Korridor wartet ein guter kleiner Freund von dir, hast du nicht gehört!«

»Ist es Gunilla oder Krister?«, murmelte Lillebror mürrisch.

»Nein, einer, der Bimbo heißt«, sagte Mama.

»Ich kenne keinen, der Bimbo heißt«, murmelte Lillebror noch mürrischer.

»Das mag wohl sein«, sagte Mama. »Aber er möchte dich gern kennen lernen.«

Da ertönte vom Korridor her ein kleines kurzes, kläffendes Hundegebell.

Lillebror spannte alle Muskeln an und krallte die Hände in das Kissen – nein, jetzt durfte er sich aber wirklich kein dummes Zeug einbilden!

Doch wieder hörte man dies leise Gekläff. Lillebror setzte sich heftig im Bett hoch.

»Ist das ein Hund?«, fragte er. »Ist das ein *lebendiger* Hund?«

»Ja, es ist *dein* Hund«, sagte Papa.

Und da stürzte Birger in den Flur hinaus und eine Sekunde später war er wieder da und in seinen Armen trug er – oh, war das wirklich wahr? –, in seinen Armen trug er einen kleinen, jungen Rauhaardackel.

»Ist das *mein* lebendiger Hund?«, flüsterte Lillebror.

Er hatte noch immer Tränen in den Augen, als er die Arme nach Bimbo ausstreckte. Er sah aus, als glaubte er, der Dackel würde sich im nächsten Augenblick in Rauch auflösen und verschwinden.

Aber Bimbo verschwand nicht. Bimbo lag in seinem Arm

und Bimbo leckte ihm das Gesicht und winselte und bellte und schnappte nach seinen Ohren. Bimbo war ganz kolossal lebendig.

»Freust du dich jetzt, Lillebror?«, fragte Papa.

Lillebror seufzte auf. Wie konnte Papa nur fragen? Er freute sich so, dass es irgendwo drinnen in der Seele wehtat oder im Bauch oder wo es nun saß, wenn man sich richtig freute.

»Dieser Plüschhund, weißt du, Lillebror, der sollte nur ein Spielzeug für Bimbo sein«, sagte Betty. »Wir wollten dich doch nicht ärgern – wenigstens nicht so sehr«, fügte sie hinzu.

Lillebror verzieh alles. Und übrigens hörte er kaum, was sie sagte. Denn er redete mit Bimbo.

»Bimbo, ach, Bimbo, du bist *mein* Hund!«

Dann sagte er zu Mama: »Ich finde Bimbo noch süßer als Ahlberg. Rauhaardackel sind jedenfalls am süßesten.«

Dann fiel ihm ein, dass Gunilla und Krister jede Minute kommen konnten. Oh, oh, er begriff gar nicht, dass man *so viel* Schönes an einem einzigen Tag erleben konnte! Denkt bloß, jetzt würden sie sehen, dass er einen Hund hatte, und einen, der *wirklich* seiner war und das Liebste, Liebste, Liebste auf der ganzen Welt.

Aber plötzlich wurde er unruhig.

»Mama, darf ich Bimbo mitnehmen, wenn ich zu Großmutter fahre?«

»Natürlich, du nimmst ihn in diesem kleinen Korb mit in den Zug«, sagte Mama und wies auf einen Hundekorb, den Birger auch vom Korridor hereingeholt hatte.

»Oh«, sagte Lillebror, »oh!«

In diesem Augenblick klingelte es an der Wohnungstür. Jetzt kamen Gunilla und Krister und Lillebror rannte ihnen entgegen und schrie:

»Ich hab einen Hund gekriegt! Er gehört mir!«

»Ach, wie ist der süß«, sagte Gunilla. Aber dann besann sie sich und sagte: »Ich gratuliere! Dies ist von Krister und mir zusammen.«

Sie reichte ihm eine Tüte Bonbons. Und dann warf sie sich über Bimbo und rief wieder: »Oh, wie ist der süß!«

Das hörte Lillebror gern.

»Fast genauso süß wie Joffa«, sagte Krister.

»Fast noch süßer«, sagte Gunilla. »Sogar süßer als Ahlberg.«

»Ja, viel süßer als Ahlberg«, sagte Krister.

Lillebror fand, dass Gunilla und Krister riesig nett waren. Und er forderte sie auf an der Geburtstagstafel Platz zu nehmen.

Mama hatte gerade eben viele, viele herrliche Butterbrote mit Schinken und Käse drauf und eine Menge Kekse aufgetragen. Und mitten auf dem Tisch stand die Geburtstagstorte mit acht Lichtern.

Und aus der Küche brachte Mama noch eine große Kanne Schokolade herein. Sie fing gleich an, in die Tassen einzuschenken.

»Wollen wir nicht auf Karlsson warten?«, fragte Lillebror vorsichtig.

Mama schüttelte den Kopf.

»Jetzt finde ich, wir kümmern uns nicht mehr um Karlsson. Denn weißt du, ich bin fast sicher, dass er nicht kommt. Von jetzt ab kümmern wir uns überhaupt nicht mehr um Karlsson. Denn jetzt hast du ja Bimbo.«

Ja, jetzt hatte er ja Bimbo – aber deshalb wollte Lillebror trotzdem, dass Karlsson bei seiner Geburtstagsfeier dabei war.

Gunilla und Krister setzten sich an den Tisch und Mama reichte Butterbrote herum. Lillebror legte Bimbo in den kleinen Hundekorb und setzte sich ebenfalls. Dann ging Mama hinaus und ließ die Kinder allein.

Birger steckte die Nase ins Zimmer und rief:

»Du hebst hoffentlich ein bisschen von der Torte auf – Betty und ich möchten auch gern ein Stück haben!«

»Ja, das muss ich wohl tun«, sagte Lillebror. »Aber eigentlich ist es ungerecht, denn ihr habt sieben, acht Jahre lang Torte gefuttert, als ich noch gar nicht auf der Welt war.«

»Komm mir nicht damit! Ein großes Stück Torte möchte ich haben«, sagte Birger und machte die Tür zu.

Kaum hatte er das getan, da hörte man das gewohnte Brummen und herein kam Karlsson.

»Habt ihr etwa schon angefangen?«, schrie er. »Wie viel habt ihr gegessen?«

Lillebror tröstete ihn, sie wären noch gar nicht zum Essen gekommen.

»Schön«, sagte Karlsson.

»Sagst du nicht ›ich gratuliere‹ zu Lillebror?«, fragte Gunilla.

»Ach so, ja, gratuliere«, sagte Karlsson. »Wo sitze *ich*?« Es gab ja keine Tasse für Karlsson und als er das merkte, schob er die Unterlippe vor und maulte. »Ich mach nicht mit, wenn es so ungerecht zugehen soll. Warum hab *ich* keine Tasse bekommen?«

Lillebror schob ihm schnell seine eigene hin. Und dann schlich er leise in die Küche hinaus und holte sich eine andere Tasse.

»Karlsson, ich habe einen Hund gekriegt«, sagte er, als er zurückkam. »Da liegt er, er heißt Bimbo.«

Lillebror zeigte auf Bimbo, der in seinem Korb eingeschlafen war.

»Soso, das ist ja nett«, sagte Karlsson. »Dies Butterbrot ist für *mich*, ich hab's schon angefasst – und dies und dies!«

»Ach ja, stimmt ja«, sagte er dann, »ich hab ein Geburtstagsgeschenk für dich mitgebracht. Ich bin der Netteste, den es gibt.«

Aus seiner Hosentasche zog er eine kleine Trillerpfeife und reichte sie Lillebror. »Die kannst du haben und damit nach deinem Bimbo pfeifen. Das mach ich auch so, ich pfeif immer nach meinen Hunden, obwohl meine Hunde Ahlberg heißen und fliegen können.«

»Heißen sie alle Ahlberg?«, fragte Krister.

»Ja, alle tausend«, sagte Karlsson. »Wann hauen wir in die Torte rein?«

»Vielen Dank, lieber, lieber Karlsson, für die Trillerpfeife«, sagte Lillebror. Oh, was für einen Spaß würde das machen, damit nach Bimbo zu pfeifen.

»Allerdings werde ich sie mir manchmal ausleihen«, sagte Karlsson. »Ziemlich oft vielleicht leihe ich sie mir aus«, sagte er und fuhr unruhig fort: »Hast du Bonbons gekriegt?«

»Ja, klar«, sagte Lillebror. »Von Gunilla und Krister.«

»Die werden gleich wohltätigen Zwecken zugeführt«, sagte Karlsson und schnappte sich die Tüte. Er stopfte sie in die Tasche und dann fiel er über die Butterbrote her.

Gunilla und Krister mussten sich sehr beeilen, um auch noch was abzubekommen. Aber zum Glück hatte Mama sehr viele gestrichen.

Im Wohnzimmer saßen Mama, Papa, Birger und Betty.

»Hört mal, wie lustig sie da drinnen sind«, sagte Mama. »Oh, wie bin ich froh, dass Lillebror seinen Hund bekommen hat. Er wird natürlich Mühe machen, aber das hilft eben nichts.«

»Ja, und nun wird er seine dummen Fantasien mit Karlsson vom Dach vergessen, davon bin ich überzeugt«, sagte Papa.

In Lillebrors Zimmer wurde gelacht und geredet und Mama sagte:

»Wollen wir nicht rübergehen und sehen, was die Kinder treiben? Sie sind so süß.«

»Ja, kommt, gehen wir mal rüber und schauen sie an«, sagte Betty.

Und sie gingen alle zusammen hinüber. Mama und Papa

und Birger und Betty, um sich Lillebrors Geburtstagsgesellschaft anzusehen.

Es war Papa, der die Tür öffnete. Aber es war Mama, die als Erste aufschrie. Denn sie war es, die als Erste den kleinen dicken Mann entdeckte, der neben Lillebror saß.

Ein kleiner dicker Mann mit Sahnetorte bis weit über beide Ohren hinauf.

»Nein, jetzt werde ich ohnmächtig«, sagte Mama.

Papa und Birger und Betty standen still da und rissen nur die Augen auf.

»Siehst du, Mama, Karlsson ist doch noch gekommen«, sagte Lillebror vergnügt.

Ach, was war das für ein schöner Geburtstag!

Der kleine dicke Mann wischte die Sahnetorte, die er um den Mund geschmiert hatte, ein bisschen weg und dann winkte er Papa und Mama und Birger und Betty mit seiner kleinen dicken Hand zu, dass die Sahne nur so herumspritzte.

»Heißa hopsa«, schrie er. »Ihr habt sicher noch nicht die Ehre gehabt? Mein Name ist Karlsson vom Dach – halt, halt, Gunilla, tu dir nicht so viel auf! *Ich* darf wohl auch ein bisschen Torte haben!«

Er packte Gunillas Hand, die den Tortenheber hielt, und zwang sie ihn loszulassen.

»Hat man je so ein gefräßiges kleines Mädchen gesehen?«, sagte er.

Dann nahm er sich selber ein großes Stück.

»Der beste Tortenesser der Welt, das ist Karlsson vom Dach«, sagte er und lächelte ein sonniges Lächeln.

»Kommt, wir gehen«, flüsterte Mama.

»Ja, ich hindere euch nicht«, sagte Karlsson.

»Versprich mir eins«, sagte Papa zu Mama, als sie die Tür hinter sich zugemacht hatten. »Versprecht mir alle eins, ihr auch, Birger und Betty! Erzählt *niemandem* hiervon, absolut *niemandem!*«

»Weshalb denn nicht?«, fragte Birger.

»Niemand würde es glauben«, sagte Papa. »Und *wenn* sie es glaubten, würden wir für den Rest unseres Lebens keine ruhige Minute mehr haben. Er würde ins Fernsehen kommen, versteht ihr. Wir würden im Treppenhaus über Fernsehdrähte und Filmkameras stolpern, und alle halbe Stunde würde ein Pressefotograf kommen und Karlsson und Lillebror fotografieren wollen. Der arme Lillebror, er würde ›der Junge, der Karlsson vom Dach entdeckt hat‹ werden – wir hätten in unserem ganzen Leben keine ruhige Stunde mehr.«

Papa, Mama, Birger und Betty gaben sich die Hand darauf, dass sie keinem einzigen Menschen von diesem sonderbaren Spielkameraden erzählen wollten, den Lillebror sich zugelegt hatte.

Und sie hielten Wort. Niemand hat sie jemals ein Wort von Karlsson sagen hören. Und deshalb darf Karlsson weiter in seinem kleinen Haus wohnen, von dem niemand etwas weiß, obwohl es auf einem gewöhnlichen Dach auf einem gewöhnlichen Haus an einer ganz gewöhnlichen Straße in Stockholm liegt. In aller Ruhe kann Karlsson herumspazieren und seine Streiche machen und genau das tut er. Denn er ist der beste Streichemacher der Welt.

Als die Butterbrote und die Kekse und die ganze Torte aufgegessen und Gunilla und Krister nach Hause gegangen waren und Bimbo schlief, da nahm Lillebror Abschied von Karlsson. Karlsson saß auf dem Fensterblech, im Begriff aufzubrechen. Die Gardinen wehten sacht hin und her, die Luft war so lau, es war ja Sommer.

»Lieber, lieber Karlsson, es ist doch ganz sicher, dass du noch auf dem Dach wohnst, wenn ich von Großmutter zurückkomme?«, fragte Lillebror.

»Ruhig, ganz ruhig«, sagte Karlsson. »Wenn mich meine Großmutter nur loslässt. Aber das ist nicht sicher. Denn sie findet, ich bin das beste Enkelkind der Welt.«

»Bist du das denn?«, fragte Lillebror.

»Ja, wer sollte es wohl sonst sein? Fällt *dir* ein anderer ein?«, fragte Karlsson. »Man kann daher nie wissen... Sie wäre ja dumm, wenn sie den besten Enkel der Welt weglassen würde, nicht wahr?«

Dann drehte er an dem Knopf, der ungefähr mitten vor seinem Nabel saß. Der Motor begann zu brummen.

»Wenn ich zurückkomme, essen wir viel Torte«, schrie er. »Denn von der heute konnte man nicht fett werden. Heißa hopsa, Lillebror!«
»Heißa hopsa, Karlsson«, schrie Lillebror.
Und dann war Karlsson weg.

Aber in dem kleinen Hundekorb neben Lillebrors Bett lag Bimbo und schlief. Lillebror beugte sich zu ihm hinunter. Er schnupperte an ihm. Er strich mit einer rauen kleinen Hand behutsam über den Kopf des jungen Hundes.
»Bimbo, morgen fahren wir zu Großmutter«, sagte er. »Gute Nacht, Bimbo! Schlaf gut, Bimbo!«